DUW YW'R BROBLEM

Duw yw'r Broblem

Aled Jones Williams a
Cynog Dafis

Argraffiad cyntaf: 2016

ⓗ Aled Jones Williams / Cynog Dafis / Gwasg Carreg Gwalch

Cyhoeddir gan Wasg Carreg Gwalch,
12 Iard yr Orsaf, Llanrwst, Conwy, LL26 0EH.
Ffôn: 01492 642031 Ffacs: 01492 641502
e-bost: llyfrau@carreg-gwalch.com
lle ar y we: www.carreg-gwalch.com

Rhif rhyngwladol: 978-1-84527-557-0

Mae'r cyhoeddwr yn cydnabod cefnogaeth ariannol
Cyngor Llyfrau Cymru

Cynllun clawr: Eleri Owen

Cynnwys

Rhagarweiniad

Mewn sgwrs awr ginio yn un o gynadleddau Cristnogaeth 21 yr oeddem ni'n dau yn cytuno mai 'Duw oedd y broblem'. Er mor rhydd-agored a chynhwysol oedd naws y cyfarfod, yr hyn a glywem yn ymhlyg, weithiau'n echblyg, yn y drafodaeth oedd y syniad o Fod Goruwchnaturiol, Arglwydd pob peth, Crëwr y bydysawd. A ninnau'n teimlo'n anniddig, yn ddwfn o anniddig, o'r herwydd. Mor anniddig yn wir nes i ni fynd i amau a ddylem ni fod yng nghynhadledd Cristnogaeth 21 o gwbl.

Yno yr oeddem ni serch hynny, a hynny'n tystio i'n hawydd i fod o fewn y gorlan hon, nid y tu allan iddi.

Cytunasom i gadw mewn cysylltiad er mwyn darganfod pa faint o dir cyffredin oedd rhyngom. Cael yn go fuan wedyn, o edrych ar ysgrifeniadau'n gilydd, ein bod yn agos iawn i'r un man.

Penderfynasom fynd ati fel a ganlyn: y ddau ohonom i ddilyn ei drywydd ei hun ac i gynhyrchu rhywbeth ysgrifenedig, tra'n cyfnewid syniadau a sgriptiau, a gweld beth ddaethai.

Diwedd y broses fu i ni gynhyrchu dau gyfansoddiad o fathau gwahanol iawn. Y naill yn ymdrech i gloriannu'n rhesymiadol beth o'r drafodaeth gyfredol am Dduw ac awgrymu ffordd ymlaen; a'r llall yn ymson fyfyrgar-greadigol yn tynnu ar brofiad personol. Serch y gwahaniaeth mawr yn null y traethu, cawsom ein bod yn hynod o gytûn.

Nid digon gan y naill na'r llall wisgo'r hen uniongrededd mewn diwyg newydd: rhaid bod yn fwy radical na hynny.

Yn y lle cyntaf roeddem ein dau am ddiosg yn llwyr y syniad o Dduw fel Bod goruwchnaturiol sy'n rheoli pob peth, Person o ryw fath y gellir troi ato am gyfarwyddyd.

Yn ail, ac yn bwysicach, yr oeddem yn gwbl argyhoeddedig bod yr hyn a alwn ni'n 'grefydd' yn adlewyrchu angen dwfn ac arhosol yn natur Dyn am ddimensiwn ysbrydol. Dyma lle y trown i greu ystyr, i gyfoethogi ein bywyd mewnol, i'n tywys yn ein perthynas â'n cyd-ddyn ac i gael cysur mewn cyfyngder. Tra'n ymwrthod â'r 'goruwchnaturiol' fe welwn werth uwchlaw pris yn y trosgynnol, y gwastad o brofiad sydd uwchlaw cyffredinedd a hapddigwyddiadau bywyd bob dydd.

Ac yn drydydd yr oeddem yn gytun nad drwy ddadlau am ffaith a thystiolaeth na damcaniaethu am y gwrthrychol real y mae cael mynediad i'r dimensiwn ysbrydol ond yn hytrach drwy'r teimladau a'r dychymyg creadigol, drwy gyfoeth symbolaidd metaffor a myth.

Ein teimlad yw y gall fod ein picil, a'n safbwynt, crefyddol ni yn adlewyrchu sefyllfa carfan niferus o bobl yn y Gymru Gymraeg heddiw. Bydd rhai o'u plith wedi cefnu ar gapel ac eglwys am eu bod yn cael anhawster, yn ymenyddol ac yn emosiynol, gyda'r Goruwchnaturiol, ond yn dal i ymdeimlo â'r angen am yr ysbrydol. Bydd eraill yn parhau i fynychu, yn gyson neu'n ysbeidiol, gan deimlo'n anesmwyth bod eu hymlyniad rywsut yn annilys neu'n ffug. At y garfan ddwyochrog yna y mae'n hymdrech ni i roi trefn ar ein meddyliau yn anelu'n bennaf, ond gobeithio y bydd o ddiddordeb i eraill, gan gynnwys llawer iawn sy'n 'cael amheuon'.

Aled Jones Williams
Cynog Dafis

Anghredu

Aled Jones Williams

ANG-NGHREDU

1

Gosod dau air
ochr yn ochr
â'i gilydd
– fel o'r newydd
– fel am y tro cyntaf
'cariad' a 'duw',
dyweder

fel pe na baent
erioed
wedi cwrdd
o'r blaen

gadael i ystyr
un
oleuo tywyllwch
y llall;

i wres hen gyfarwydd
y naill
doddi'r llall
i ddealltwriaeth,

a'u gollwng
ill dau
i fynd am dro
law yn llaw
ar hyd ffordd
ddi-dramwy gynt

yn y dychymyg,
heibio chwyn
ein hamheuon
a'r adleisiau
parhaol
o'r creigiau:
'Mae hyn yn amhosibl.'
Heibio'r ymgecru
rhwng 'cwestiwn' ac 'ateb',
'ateb' a 'chwestiwn'.

Ymddiried yn eu taith.

Ymddiried yn eu mynediad
i fedru, efallai,
lefaru
fi a thi a'r cosmos
mewn cystrawennau
dieithr.
A brawddegu rhyfedd
-odau
sy'n ramadegol anghywir
yn egluro,

2

Profiad o 'Dduw' sydd gennyf. Nid syniad, nid haniaeth,
nid cred, nid confensiwn. Profiad sydd ynghlwm wrth y
defnydd o'r gair yn fy mywyd. Yn arbennig felly fy mywyd
cynnar. Gair ffeind ydyw. Ni ddefnyddiwyd ef erioed yn fy
magwraeth, i fy mygwth na fy nghystwyo. 'Watja dy hun,
mae Duw yn dy watjad!' Bum yn ffodus. Ni chefais fy
ngham-drin yn grefyddol. I fy rhieni y diolchaf am hynny.

Yn waelodol, gair allweddol – medr agor pethau fel pob allwedd – ym mrawddegau fy mywyd beunyddiol ydyw. Nid endid 'goruwchnaturiol'. Y mae gennyf bob amser hyder yn y gair y bydd yn ildio i mi bethau da. (Anadlu 'Duw' yr oeddwn i yn y dyddiau cynnar rheiny. Fel yn achos yr anadlu naturiol nid oeddwn y rhan fwyaf o'r amser yn ymwybodol o gwbl fy mod yn gwneuthur hynny. A dyna erbyn heddiw sy'n anodd: anadlu 'Duw' mewn aer nad yw bellach yn medru cynnal 'Duw' – mae'r awyrgylch i'r gair ffynnu ynddo yn ein gwlad yn denau ac yn teneuo. A hynny'n bennaf, decin i, oherwydd bod crefydd ar hyn o bryd yn cael ei amgyffred – gyda mynydd o dystiolaeth – fel rhywbeth adweithiol, treisiol a gwrth-fywyd. I'r ychydig cyfoes – ac ychydig fyddant, mi wn – sy'n fodlon cadw'n effro i'r crefyddol, rwyf am ddweud fod modd dirnad 'Duw' o hyd mewn dull a modd amgenach na'r ddealltwriaeth draddodiadol ac eglwysig. Gair ydyw sy'n dianc yn noethlymun o gotiau'r diffiniadau gor-aml ohono. Nid yw llawer iawn o'n crefydda diweddar a blaenorol yn ddim byd amgenach na dal cotiau gweigion gan edmygu eu gwneuthuriad. Gwneuthuriad sydd yn ein gwlad wedi breuo yn go arw. Y mae llwybr yn bod i'r rhai a'i myn, llwybr cul, troellog ac anodd ar y grib honno rhwng ffydd ar y naill law ac an-ffydd ar y llaw arall. Nid yw gadael ffydd fel y tybia llawer yng Nghymru yn golygu an-ffydd. Nid yw gadael an-ffydd ychwaith yn golygu ffydd. Y mae yna *via media*, ffordd ganol. Y llwybr mwyaf dilys bellach, ddywedwn i, yn yr Unfed Ganrif ar Hugain. Nid yw llefaru'r gair 'Duw' yn consurio Arglwydd y Bydysawd. O'i ddweud daw yn ei sgil bethau cyffredin iawn: eglwys Llanwnda fy mhlentyndod; rhai wynebau cyfarwydd ac annwyl gynt ond sydd bellach wedi marw; rhai storïau o'r Beibl; rhythmau Cymraeg Llyfr Gweddi Gyffredin, William Salesbury; gwefr y Nadolig; hunan-ymholi dwys Y

Garawys; rhai gweddïau; arogleuon eglwysig: tamprwydd llyfrau hyms ac ogla carped neilltuol, glas ei liw; lliwiau litwrgïaidd: yn enwedig y porffor; goleuni'r machlud yn goglais pared gwyngalch oedd yn plicio yn eglwys Sant Gwyndaf. Mae'r gair 'Duw' felly yn deor profiadau cysurlon, diffuant, dwfn a chyfoethog. O'i ddweud ymdeimlaf â glendid mewnol. Yr wyf hefyd yn ddiolchgar i'r gair, oherwydd yn fy aml ac amrywiol ddefnydd ohono fe'm lluniodd – fe'm naddodd – i fod yr hwn wyf heddiw. (Medr geiriau allweddol o'u clywed yn gyson a'u hymarfer yn rheolaidd ein siapio'n fewnol yn gymaint felly â phobl a digwyddiadau arbennig. Fel petai geiriau rywsut yn berchen ar ymwybod annibynnol.) Dyna pam na allaf fyth roi'r gair heibio nac o'r neilltu.

* * *

Mae'n amhosibl i mi fod yn anffyddiwr. Fel y mae'n amhosibl i mi beidio â siarad Cymraeg. Nid gair ar ei ben ei hun ydyw. O'i ddweud, mae'n esgor ar brofiadau lu a gefais – ac a gaf o hyd. Mae'n air dymunol a thra-thra chyfoethog. Mae'n ddrws agored o air ac yn ffenestr dryloyw, lydan. Gair i edrych drwyddo ydyw. Yn feicrosgop o air ac yn sbienddrych o air hefyd. Yn air sy'n gallu manylu, ymestyn a thynnu'n agos, i gyd ar yr un pryd. Gair sy'n ymgnawdoli profiadau dyfnion yn fy hanes ydyw. Gair materol hefyd: mae yn fy ngheg, yn lafoer i gyd ac yn gryndod o aer wrth gael ei ynganu. Yn yr ystyr yma, y mae 'Duw' wastad yn ymgnawdoledig – cyfraniad pwysicaf Cristnogaeth i'r dychymyg crefyddol dynol, er na fyddech yn dirnad hynny, wrth gwrs, oddi wrth y mwyafrif o Gristnogion gan fod 'Duw' iddynt hwy, fel i'w cefndryd a'u cyfnitherod anffyddiol, 'allan' yn 'Fan'cw', yn 'arallfydol', yn 'bod' neu 'ddim yn bod': dewiswch chi! Nid yw'n 'arallfydol'. Beth bynnag yn y byd yw 'arall-fydol'. Â'r ychydig yr wyf fi'n siarad yn y fan yma, mi dybiaf.

* * *

Ond a yw'n fwy na gair? A yw'n enw ar bresenoldeb y tu hwnt iddo'i hun? Be-wn-i! Cwestiynau ofer yw y rhain gan eu bod yn gwbl anatebadwy. Nid yw hynny'n mennu dim arnaf bellach sylweddolaf wrth ysgrifennu. Rywsut mewn rhyw ffordd od iawn yr wyf fi wedi mynd tu hwnt i amheuaeth. Ni wn pryd na sut y digwyddodd hynny. Hyn, ac am ei werth, yw fy safbwynt bellach: y mae ynof, ac wedi bod erioed hyd y gwn i, yr hyn a eilw Wordsworth yn ei ddisgrifiad enwog o ddringo'r Wyddfa yn *The Prelude* yn '...*an underpresence,/ The sense of God...*' Nid unrhyw dystiolaeth empeirig o 'Dduw' sy'n gwbl amhosibl, nid gwybod a gwybodaeth ffeithiol, ond rhyw amgyffrediad greddfol bron, y synnwyr o 'Dduw'. Y gair rhagorol, nodweddiadol hollol o Wordsworth: '*underpresence*'. Nid 'Duw' per se ond ymdeimlad ohono fel llechen yn dal yn gynnes wedi'r êl yr haul. Rhyw wrid sydd wedi fy hydreiddio erioed. I mi y mae hynny yn ddigonol.

* * *

Camgymeriad mwyaf fy mywyd oedd cael fy ordeinio'n 'offeiriad'. Cymhlethwyd popeth gan gredoau a datganiadau diwinyddol (Di-ddisgrifio 'Duw' yw'r peth. Nid ei ddisgrifio.) Collais ryw ddiniweidrwydd. (Ai dyna pam y dywedodd Iesu: 'Oddieithr eich troi chwi, a'ch gwneuthur fel plant bychain, nid ewch i mewn i deyrnas nefoedd.'?) Peidiodd 'Duw' â bod yn brofiad a throdd yn 'wrthrych'. Ac yn 'enw'. Yr Hollalluog ydoedd. Yr Holl-bresennol ydoedd. Yr Holl-wybodus ydoedd. 'Roedd yn ddyletswydd arnaf ei brofi (yn yr ystyr o 'proof' – rhywbeth cwbl amhosibl, wrth gwrs.) Ei gyfiawnhau – 'pam fod Duw yn caniatáu cansar?' (Nid wyf yn deall y pethau hyn bellach. Gynt yr oedd 'Duw' yna, nid fel esboniad, nid fel cyfiawnhad, ond fel presenoldeb.) 'Roedd y gair wedi ei dynnu – fel tynnu dant heb bigiad – allan o gystrawennau naturiol fy mywyd a'i ynysu mewn rhyw hurtrwydd ar ei ben ei hun.

* * *

I amddiffyn fy hun rhag 'Duw' fel enw ac fel gwrthrych yr eglwys, troais am gyfnod at y Duw Absennol, R.S. Thomosaidd. (Er mor hoff oeddwn i o R.S.) Ond yr oedd hynny'n mynd yn groes i fy mhrofiad o 'Dduw' gan na fu 'Duw' erioed yn absennol. Beth mewn difrif calon yw'r gwahaniaeth rhwng 'Duw' Absennol ac anffyddiaeth? Dim ond drwy droi'r gair 'Duw' yn 'enw' ac yn 'wrthrych' y geill ei 'absenoldeb' ddigwydd. Nid yw'r 'enw' a'r 'gwrthrych' yn ffitio ffeithiau – brwnt yn amlach na heb – ein bywydau. Felly fel 'amddiffyniad' rhaid ei 'absenoli' o'r bryntni hynny. Mae'n 'cuddied', neu mae'n 'ddirgelwch'. Ond berf yw 'Duw'. Y mae ynganu'r gair fel berf yn cyd-fodoli â'r cyfnodau brwnt ac ysgeler. Nid yw'r ynganu hwnnw'n newid dim ar y llaid a'r llaca. Ond y mae'n eu trosgynnu – heb fyth eu gwadu, na'u hesgusodi na'u lliniaru. Nid yw'n gadael i unrhyw ddioddefaint fy llorio'n llwyr. Mae dweud y gair yn golygu dweud ar yr un pryd: 'Chdi! Mi rwyt ti'n fwy na hyn.' Mae dweud 'Duw' yn dyfnhau 'chdi'. Yn agor y 'tŷ' fel petai gan fy nhynnu o'r 'un ystafell' hefo'r un un olygfa barhaol i ddatgelu helaethrwydd. Yno yn wastad y mae mwy i'w ddweud. Dweud gwell a rhagorach. 'Duw' yw'r agorfa i'r dweud mwy a rhagorach hwnnw. Gair sy'n diddymu terfynau ydyw gan eu troi'n ffiniau i diriogaethau eraill.

Nid yw'n gadael i mi dybio fyth fy mod yn orffenedig. Gair sydd yn fy nghadw'n fythol ar agor ydyw. Medr greu ynof 'hiraeth' am yr amgenach. A sdyrbio bodlonrwydd ymddangosiadol. Gair aflonydd sy'n aflonyddu ydyw. Mae'n air ar y blaen bob amser.

* * *

A yw 'Duw' yn bod? Wrth gwrs. Nid fel 'gwrthrych. Nid fel 'enw'. Ond fel 'berf'. Ynganaf y gair: ac i 'fforestydd dy feddyliau', chwedl Morgan Llwyd, daw llecynnau clir i fod. Egwyl-fannau. Gwagleoedd hyfryd. Dyfnder ymwybod. Y ddawn i ryfeddu at y Cosmos. Prydferthwch dihafal. Diddymiant y 'Fi Fawr'-sydd wedi creu yn rhy aml gymaint o lanasd yn fy mywyd i a bywydau eraill. Tynnu'r 'Fi Fawr' o'i orseddfa anffodus a rhoi 'Duw' yn ei le fel bod fy hunan-ddealltwriaeth wedyn yn well, yn amgenach ac yn lletach. Ni allaf ddirnad 'fi' drwy 'fi': ond drwy yr 'arall', gwahanol. A'r 'arall' eithaf, llawn yw 'Duw'. (Ac nid 'Fi Fawr' unigolion yn unig ond 'Fi Fawr' sefydliadau, eidiolegau a chenhedloedd yn ogystal.) Ar un adeg – fy nhymor yn yr eglwys – peidiais â byw 'Duw' gydag ysgafnder ffwrdd-â-hi a dechreuais gredu ynddo ag oblygiadau difäol – i mi – y credu proffesiynol a thrwm hwnnw. Wedi gadael yr eglwys yr oedd yn rhaid i mi ang-nghredu.

* * *

Ond tra pery eglwys ac anffyddiaeth i feddwl am 'Dduw' fel 'gwrthrych' ac fel 'enw' – ac nid oes fawr o wahaniaeth rhyngddynt yn hyn o beth – y medrir ei 'brofi' neu ei 'wrthbrofi', fel 'peth' ymysg 'pethau' eraill, ni fydd yr hyn a ddywedaf yn gwneud unrhyw synnwyr o gwbl. Fel petawn i'n malio mwyach. Ond peth dymunol iawn i mi yw cael syrthio rhwng dwy stôl eglwys ac anffyddiaeth. Peth dymunach yw cael rhoi'r ddau yn yr un cae. Â lleiafrif yr wyf yn siarad.

* * *

Mae 'rhywbeth' oddi tanom sy'n peri cyflawnder. Fy nychymyg sy'n fy arwain i ddweud hyn. Nid wyf fi'n meddwl am eiliad mai coel-gwrach neu'r ffuantus yw'r dychymyg, ond ffordd arall – a dilys! – o wybod. Yn y Gorllewin, tybed i ni dybio'n ormodol mai dim ond drwy'r rheswm y gwyddom unrhyw beth? Gwyddom drwy ein teimladau. Gall y teimladau fod yn 'nes ati', ys dyweder, yn aml iawn. Fy rheswm yn dweud wrthyf: 'Mae'r dyn hwn o fy mlaen i'w weld yn ddyn clên'; ond geill fy nheimladau anniddigo mewn amheuaeth o'r clendid ymddangosiadol. Mae'r corff yn gwybod pethau: gallaf gyffwrdd ambell beth – clawr llyfr, carreg, hen siwmper – a thrwy'r cyffwrdd corfforol yna egyr fy nghof ar wybodaeth o rywbeth yr oeddwn wedi ei anghofio, ei gladdu'n fwriadol, neu ei ddirnad o ran yn gynharach. Medraf gofio rhyw arogl neilltuol, ac yno mae gwybodaeth wahanol o sefyllfa – ddymunol neu ddieflig – yn ddoe yr oedd yr arogl hwnnw'n rhan annatod ohoni er nad oeddwn i wedi talu fawr o sylw i hynny ar y pryd. Nid fy rheswm a gyrhaeddodd gyntaf, ond yr arogl, y cyffwrdd, y teimlad. Wedyn, mae'r hyn a elwir yn 'sythweldediad': rhyw ddirnadaeth, fel yr awgryma'r enw, sy'n cyrraedd craidd rhywbeth yn unionsyth. Yn Gymraeg, yr hyn a elwir yn 'synnwyr dros ben.' Yr '*hunch*', Saesneg. Felly hefyd gyda'r dychymyg. Ffordd arall o wybod ydyw. Pan ddywedodd Julian o Norwich: 'All shall be well, and all shall be well and all manner of thing shall be well', neu'r Salmydd: 'Hyd onid euthum i gysegr Duw: yna y deellais eu diwedd hwynt' – eu rheswm a ddirnadodd hyn? Go brin, ddywedwn i. Eu dychymyg oedd ffynhonnell eu gwybodaeth. Credaf mai'r dychymyg yw crud a gwely'r crefyddol. Nid y rheswm. Nid wyf fi'n meddwl y medr y rheswm fynd â ni'n bell iawn yn grefyddol. Y dychymyg yw ei heol reiol. Ar y cyfan, fe ddywedwn i fod y rheswm yn llac iawn ei afael ar y crefyddol. Mae dwylo'r dychymyg yn gadarnach. Oherwydd yn selerydd y dychymyg y mae'r symbolau. A dyna, efallai, yw craidd y crefyddol: byw drwy a gyda symbolau. Un o'r prif symbolau yw'r 'cylch': di-dor, heb ddechrau na diwedd, cyflawn, yn ymestyn a lleihau yn ôl ei fympwy, y rhod. Am y cylch a'i oblygiadau y chwiliwn mewn perthynas â rhywun arall, mewn cenedl, yn y cosmos, ac ynom ni ein hunain. Cyflawnder – undod y gwahaniaethau a'r croesddywediadau ynom, drwy nid eu dileu ond eu cyfannu fel mai 'un ffunud yw tywyllwch a goleuni i ti', fel y mynegodd y Salmydd y peth – yw'r nod bob amser, pun a sylweddolwn hynny ai peidio. Dyna at ei gilydd yw ein symudiad mewnol o hyd, mi dybiaf fi: ceisio'r cylch. Y 'mandala' (enw crand am y cylch, rhag i chi feddwl) mewn pob crefydd fawr. Cylch yw'r Groes yn y bôn: o fynd o amgylch ei phegynau – gogledd, de, gorllewin, dwyrain – daw cylch i fod: cylch a gedwid yn y croesau Celtaidd. Symbol enfawr – y mwyaf oll? – o gyflawnder ydyw. (Is-thema, a'i roi o fel yna, yw'r 'maddeuant' a gyplysir â hi. Y cyflawnder cylchol yr ydym i gyd – a'r cosmos – yn rhan ohono yw ei thema fawr, os oes modd son am 'thema' mewn perthynas â symbol.) Waeth dweud hyn yn y fan hon ddim, yr adeilad crefyddol cyfoes 'perffeithiaf' y gwn i amdano yw'r gadeirlan Gatholig yn Lerpwl. Yn hanfodol, cylch ydyw. Mandala. Teimlaf ei rym bob tro yr af i mewn iddo. A bwrw amcan rŵan, tybed mai'r un profiad a roddai cylch cyffelyb i'n hynafiaid – Côr y Cewri ar wastatir Salisbury? Canrifoedd ar ganrifoedd rhwng y naill a'r llall, ond 'tragwyddol' yn y dychymyg yw symbol. Mangre'r symbol a'r symbolaidd yw'r dychymyg, gwely afon y crefyddol. Fe'u gwelwn, y symbolau hyn, ond y mae eu hystyron wastad yn drech na ni. Y maent yn ddihysbydd. Yn ogyfuwch â ni. Gorffwys arnynt a wnawn; byw ynddynt a thrwyddynt nid fyth eu deall fel y cyfryw. Heb y symbolau yr ydym yn llai ac yn fas fel bodau. Nid oes nemor ddim wedyn ond diddanwch, a siopa, a gwneud elw, a'r math o wleidyddiaeth sydd wedi ein meddiannu ôl-Thatcher, a'r crefydda 'banal' sy'n dangos ei hun mewn pethau fel 'messy church'- llanllanasd, yn Gymraeg. Hwyrach mai dyma un o anawsterau mwyaf ein cyfnod: fod y symbolau blaenorol yn colli eu nerth ac yn gwywo ynom. Mae hynny yn digwydd. A bod angen stôr newydd. (Mae'r symbolaidd yn ei adnewyddu ei hun.) Ond o ble? Er nad wyf yn wyddonydd, tybed fod anianeg gyfoes yn cynnig agorfa? A oes unrhyw beth rhyfeddach na byd cwantwm? A'i allu i ddrysu yr hyn a dybiwn ni yw realaeth. Tybed a fedr byd cwantwm gynnig symbolau newyddion? Ond gan nad gwyddonydd wyf fi, a bod fy ngwybodaeth o theorïau cwantwm yn gwbl simsan, gwn fy mod yn troedio tir peryglus iawn. Y cwbl a wn yw bod y symbolaidd yn hanfodol i ni. Ac mai craidd y crefyddol yw'r symbolaidd. A bod y symbolau cynt erbyn hyn yn wantan sobor onis eu hadnewyddir mewn rhyw fodd.

* * *

(Wrth lunio hyn i gyd teimlais ryw chwithigrwydd ynof. Pam, tybed? Wedi pendroni tipyn, hyn yw'r ateb: nid wyf yn licio defnyddio geiriau eraill i gyrraedd 'Duw'. Nid yw'r peth rhywsut yn gweithio. Fy ngreddf ers blynyddoedd yw troi at haniaethau celfyddydol a cherddoriaeth. Y mae artist fel Mark Rothko yn medru mynd â fi'n 'nes' nag y gall geiriau. Mae Rothko a'i debyg yn well 'drysau' i dreio mynd drwyddynt. Wrth fynd o air i air teimlaf fy mod yn cerdded pont nad yw'n cyrraedd y pen arall – hanner pont – gan fy ngadael i edrych i lawr ar yr affwys. Ond, efallai, mai hynny yw'r peth ac mai gwir ystyr 'Duw' yw'r anghyraeddadwy ynom y treuliwn oes gyfan – rai ohonom! – yn ceisio'i gyrraedd. Ac mai gwir 'bwnc' crefydd felly yn y diwedd, yw ein gwrthwynebiad i'n meidroldeb ni ein hunain a'n hymgais – amhosibl, wrth gwrs – i'w oddiweddyd. Ond y mae unrhyw ymgais bownd o fod yn anodd. Ac anodd yr iaith. Rhaid rywsut ystumio'r brawddegu a chystwyo'r gystrawen, ac ysgwyd y geiriau wyneb i waered. Ffurf ar farddoniaeth yw crefydd. (A methu deall hynny yw bai mawr Ffwndamentaliaeth: ymgais gyfoes ydyw i geisio iaith hawdd, rwydd a phlaen i son am 'Dduw'.) Yn wir, nofelau enfawr yr enaid yw pob un o'r crefyddau. Ffuglen achubol ydynt. O'u 'darllen' cawn – o bryd i bryd – fomentau o'n trosgynnu. Cyrhaeddwn ddyfnder mawr a diamser tu draw i fyd arwynebol 'prynu a gwerthu'. Ymdeimlaf â dilysrwydd. A medraf gario ymlaen. Dyna hefyd pam nad wyf yn meddwl mai rhywbeth i blant a phobl ieuainc yw crefydd. Rhywbeth ar gyfer y canol oed ydyw sy'n teimlo iasau eu meidroldeb yn cau amdanynt. Mwynhau eu hunain a darganfod y byd fel ag y mae o – a gwneud 'camgymeriadau' lu ac angenrheidiol yn y darganfod hwnnw – a ddylai plant siŵr. Sut y medr geneth bedair ar ddeg oed 'roi ei bywyd i Iesu' pan nad yw ond wedi megis braidd gyffwrdd â'i bywyd ei hun? Mae'r peth yn nonsens llwyr. Medrir, mae'n debyg, eu cyflwyno i rai o'r storïau crefyddol fel y bydd ganddynt ystorfa fythig ar gyfer dyddiau'r datgymalu.)

* * *

Yr oeddwn yn byw mewn cymdeithas lle yr oedd y gair 'Duw' yn weithredol. Yr oedd yn rhan annatod o eirfa byw a bywiol y gymuned y'm ganed iddi. Nid yw hynny'n wir bellach. Hen air ydyw erbyn hyn fel y gair 'buddai' neu 'ysgatfydd'. Yr oeddwn i a phawb arall o'r bron yn ddefnyddwyr o'r gair. Ac yr oedd hyd bob man, yn ddemocrataidd. 'Roedd pawb yn ei berchen, nid y dethol, yr elit, yr 'efengylaidd'. Nid oedd angen 'ordinhad' i'w ddefnyddio. Gair pawb ydoedd. Yng Nghymru heddiw rhywbeth lleiafrifol iawn yw 'crefydda'. Yn fwy na thebyg fel yna y bydd hi am gyfnod pur faith. Nid wyf yn meddwl y medr unrhyw un wneud unrhyw beth i 'wella' hyn hyd nes, ym myd arwynebol 'prynu a gwerthu' – ymhle y mae elw yn fwy 'angenrheidiol' na phobl – y dirnedir yr angen am y gair. Ac fe ddaw. (Mae rhai geiriau'n cysgu ynom. Mae'r dychymyg crefyddol ar hyn o bryd mewn gaeafgwsg, ac oherwydd hynny mae'r hyn sy'n ymdebygu i grefydd yng Nghymru yn pendilio rhwng y sentimental, y bas, a pharhad y sefydliadau oherwydd 'vested-interest' yr arweinyddion.) Nid drwy ryw ddiwygiad naintinofforaidd y daw ond drwy sylweddoliad dwfn-seicig a dychrynllyd fod ein bywydau'n dlawd iawn – bron yn ddiwerth – heb amgyffrediad o'r ysbrydol. A'r meddwl dynol yn cyrraedd dyfnder edifeirwch. Edifeirwch: newid trywydd sylfaenol a pharhaol yn y galon. Proses fydd hi. Am y tro felly ...

* * *

Rhybudd Iechyd

Llun sâl iawn o 'Dduw' yr wyf fi wedi ei beintio, wrth gwrs. A hynny yn bennaf oherwydd mai lluniau sâl iawn yw pob llun o 'Dduw'. Cartwnau ydynt. (Fel y dywedodd mam ryw dro ar ôl i 'artist' pur giami o Fontnewydd dynnu llun o nhad: 'Dydio'm byd tebyg i dy dad.' 'Dehongliad ydy o mwn,' oedd ymateb fy nhad yn unol â'i garedigrwydd arferol. Wel, ia... ond mam oedd yn iawn.) Er efallai fod rhai lluniau ambell dro'n well na'i gilydd. Ond pwy sy'n pennu'r 'gwell' yn yr achosion hyn? A yw llun yn 'well' oherwydd ei fod yn digwydd cytuno â fy llun i? Ai hunanbortread yw pob portread o 'Dduw' yn y diwedd? Ond y mae un diffyg mawr yn fy llun i o 'Dduw', mi deimlaf. Nid yw'n cynnwys y demonig. Ac felly mae rhywbeth chwithig, unochrog ac unllygeidiog am fy llun. 'Rwy'n siarad yn simplistig. (Ond weithiau mae'r simplistig yn tynnu'r haenau o'r ymddangosiadol astrus, fel y plentyn hwnnw a ddywedodd fod yr ymherawdr yn noethlymun.) Yn aml yn yr ysgrythurau crefyddol mae 'Duw' a'r 'Diafol' yn gweithio fel pâr. Yn stori'r creu yn Genesis – stori seicolegol enfawr y mae ei harwyddocâd, enfawr eto, wedi ei golli'n llwyr oherwydd ei chymharu'n anffafriol ac ofer â damcaniaeth esblygiad a thwpdra diweddar rhai crefyddwyr yn ei thrin fel hanes a ffaith – yn y stori honno, 'Duw' blannodd 'bren gwybodaeth da a drwg' yn yr ardd, neb arall. Mae da a drwg yn ymhlyg yn y plannwr. Un goeden sydd yna, nid dwy. Mae'r 'da' a'r 'drwg' mewn cytgord ac mewn perthynas â'i gilydd yn cyd-dyfu. Yn Llyfr Job, gwas 'Duw' yw 'Satan' nid ei wrthwynebydd. Mae'r berthynas yn agos rhyngddynt. Yn stori'r temtasiynau yn yr Efengylau mae brwydr fewnol yn digwydd rhwng Iesu a'r temtiwr – y diafol. A mewnol ydyw. (Fe wyddom i gyd am y brwydrau mewnol hyn ar rai adegau allweddol yn ein bywydau pan y'n tynnir yn ddirdynnol i gyfeiriadau gwahanol.) Fe allasai fod wedi mynd y naill ffordd neu'r llall. Ar ben hyn i gyd, cofiwn fod rhyw gyntefigrwydd yn perthyn i'r crefyddol. Y mae'n eneidiol hen iawn. Hwyrach fod doethuriaeth prifysgol i'w gael mewn astudiaethau crefyddol ond mewn ogofäu a fforestydd, mewn iâ ac anialwch, ac yn ein dyheadau creiddiol a sylfaenol, y mae gwir darddle'r crefyddol. Mae ynddo rymoedd a'r cythreulig. Pethau a ddaw i'r fei ambell dro yn llanasd emosiynol diwygiadau sy'n orgasmig weithiau yn eu hangerdd. Y mae ysgrythurau'r crefyddau yn 'cofio' hyn i gyd yn y darnau annymunol rheiny y byddwn ni'n ceisio ein gorau glas i'w sensro. Hyn sydd i gyfrif, mi dybiaf fi, pam nad yw apêl rheswm a'r rhesymol yn mennu dim ar niferoedd crefyddol, gan beri i ambell anffyddiwr rhesymol ei duedd dynnu gwallt ei ben mewn dicter. Nid ar lefel y rheswm y mae crefydd yn 'gweithio'. Mae'r 'dwyfol' a'r 'demonig' yn agos iawn at ei gilydd, weithiau'n un. Efeilliaid mewnol oedd Iesu a Satan. Ond y mae amharodrwydd difrifol a pheryglus ynom ni grefyddwyr i weld hyn, heb son am ei dderbyn. Yr hyn a wnawn yn barhaus yw creu deuoliaethau: yma mae'r 'dwyfol', ond fan acw mae'r 'demonig'. Parod iawn ydym i gofleidio: '...oblegid Duw, cariad yw', ond amharod i anwesu: 'Yr Arglwydd sydd ryfelwr.' Hawdd iawn yw i ni ddyfynnu: 'Dychwel dy gleddyf i'w le: canys pawb a'r a gymerant gleddyf, a ddifethir â chleddyf.' Amhosibl bron yw cydnabod: 'ni ddeuthum i ddanfon tangnefedd, ond cleddyf.' O! fe ddywedwn, y mae'r naill yn ddatblygiad ar y llall. Neu, rhaid ystyried y cyd-destun, wyddoch chi. Gwir. Ond i raddau. Mae'n llawer dyfnach na hynny. Nid gwrthddweud ei gilydd a wna'r adnodau hyn ond dweud gwir crefyddol, fod y 'dwyfol' a'r 'demonig' wedi eu gefeillio ynom. Nid yw'n wir dweud, fel y dywedwyd yn ddiweddar, fod Islam yn grefydd heddychlon. Y mae weithiau. Dro arall daw'r 'demonig' ynddi i'r fei. Felly hefyd ar brydiau mewn Cristnogaeth, a hyd yn oed yn y grefydd ymddangosiadol fwyaf llariaidd: Bwdaeth. Angen parhaus y crefyddau – ac y maent ar y cyfan yn styfnig o amharod i wneud hyn – yw hunan feirniadaeth barhaol. Nid cwestiynu eu strwythurau, fel y maent yn fwy na pharod i'w wneud er mwyn yn y bôn hunan-barhad eu sefydliadau, ond eu diwinyddiaethau. Ni ellir gwneud hynny heb sylweddoliad bod y 'dwyfol' a'r 'demonig' yn efeilliaid. Bod 'Duw a 'Satan' nid ar wahân ond yn un ynom. Ynom, oherwydd nid oes unrhyw 'du allan'. A bod hon yn frwydr oes yn unigol, yn sefydliadol ac fel cenhedloedd. Ynom. Y mae'r crefyddol yma i aros, i aros tra pery pobl ar wyneb y ddaear: weithiau'n gryf; weithiau, fel yng Nghymru heddiw, yn wantan; weithiau ac ar y cyfan, fe ddywedwn i, er ein lles; weithiau'n ddifäol i ni. Y mae'r awch am y Trosgynnol yn ddwfn yn ein gwead fel ein hawch am ymborth ac am ryw. Ond ar yr un pryd, y mae angen y llais anffyddiol i haeru: 'Nid yw 'Duw' yn bod.' Oherwydd y llais anffyddiol yw'r un sy'n dangos y 'demonig' sy'n rhan annatod o'r 'dwyfol'. Yn aml – ac ni fyddant yn hoffi'r gymhariaeth hon o gwbl – angylion y goleuni yw anffyddwyr. Rheidrwydd arnaf fel rhywun crefyddol wrth ei anian yw gadael i fy lluniau o 'Dduw' gael eu gwawdio. Y maent yn haeddu eu dirmygu – y cartwnau hyn – gan eu bod mor annigonol. Ond hefyd oherwydd y 'demonig' sy'n llechu ynddynt.

Llyfryddiaeth

Dyma lyfrau yr wyf fi wedi gorffwys ar eu gobenyddion, yn esmwyth yn aml, yn amlach yn troi a throsi.

David Hume: *Dialogues Concerning Natural Religion*

Yn y cyfieithiadau Saesneg
Ludwig Feuerbach: *The Essence of Christianity*
Sigmund Freud: *The Future of an Illusion*

Rhaid i unrhyw 'gredadun' fel fi ddysgu byw hefo'r tri llyfr uchod. Ochr yn ochr â'r clasuron 'anffyddiol' hyn, nid yw cyfrolau yr 'Anffyddiaeth Newydd' ond megis pigiad chwannen.

Pregethau Meister Eckhart (Nifer o gyfieithiadau o'r Almaeneg gwreiddiol ar gael.)
Morgan Llwyd: *Lythyr i'r Cymry Cariadus*
    Gwaedd yng Nghymru yn Wyneb Pob Cydwybod
William Blake: *The Marriage of Heaven and Hell*
William Wordsworth: *The Prelude* (1805)
Saunders Lewis: *Williams Pantycelyn*
Cerddi Paul Celan (Nifer o gyfieithiadau ar gael o'r Almaeneg gwreiddiol.)
Wallace Stevens: *Collected Poems*
Samuel Menashe: *New and Collected Poems*

28

Diosg Duw?

Cynog Dafis

Diolchiadau

I Llinos am ddialog ddi-lol a sbardunol gyson, ac am olygu

I'm chwaer Jean am aml i sgwrs ac am dynnu fy sylw at waith Marilynne Robinson

I'r 'Tystion' (gw Pennod 1), sef wyth o nghydnabod a gytunodd i rannu'u meddyliau a'u profiadau gyda fi.

I 'nghymrodyr yng ngrŵp Cristnogaeth 21 Aberystwyth, yn arbennig i'n harweinydd Enid Roberts am ei mawr amynedd ac am ein dysgu sut i ddarllen y Beibl.

I Eric Hall am rannu'i feddyliau â fi ac am dynnu fy sylw at waith Alain de Botton.

Mae fy niolch pennaf fodd bynnag i'r diweddar Ddr Meredydd Evans. Ces dri chyfarfod gydag e yng ngaeaf 2024-5 i drafod cynnwys tair pennod gyntaf fy rhan i o'r llyfr hwn. Roedd ei anogaeth i barhau â'r fenter yn galondid, ei sylwadaeth dreiddgar a'i ddysg yn amhrisiadwy. Benthyciodd gyfrol Dewi Z. Phillips i fi a'm helpu i ymgodymu â syniadaeth hwnnw. Ffoniodd yn fuan wedi'r Nadolig, ac yntau'n go anhwylus, i roi gwybod iddo gael blas arbennig ar y bedwaredd bennod ond bu farw cyn i ni gynnal ein pedwerydd cyfarfod arfaethedig. Roedd Merêd yn awyddus iawn i lunio gair o froliant i'r llyfr ond does dim modd i fi honni ei fod yn cytuno'n llwyr â nghasgliadau i.

O barch i Mam a Nhad, pobl y Ffordd

Pennod 1

Ymgodymu ag Amheuon: Lleisiau o'r Gymru Gymraeg

1 Pererindod Bersonol

Roedd Cristnogaeth anghydffurfiol ar y goriwaered yng Nghymru fy mhlentyndod i ond roedd ei dylanwad diwylliannol a chymdeithasol yn dal yn drwm – ymhell y tu hwnt i'r hyn y gallai plant ac ieuenctid heddiw ei ddychmygu. Roedd mwyafrif mawr fy nghyfoedion yn mynychu'r capel, ac yn enwedig yr Ysgol Sul. Roedd ymweliad Cymanfa Gyffredinol Eglwys Bresbyteraidd Cymru ag Aberaeron, tref fach fy magwraeth, yn go fuan wedi'r Rhyfel, yn ddigwyddiad mawr, a phresenoldeb y cannoedd o weinidogion, blaenoriaid a swyddogion yn llanw'r lle. Rai blynyddau wedyn roedd dylanwad y capeli yn gyfryw ag i allu rhwystro'r ffair a fyddai'n ymsefydlu yn y dref dros wyliau'r haf rhag cael ei chynnal ar y Sul.

Gan mai plentyn y Mans oeddwn i, byd-olwg Gristnogol – fersiwn eangfrydig ac anefengylaidd ond dwys-ddiffuant a chwbl argyhoeddiadol ohoni –′ oedd ffrâm fy mywyd. Capel dair gwaith y Sul bid siŵr, ac er i rai ffrindiau fynegi cydymdeimlad at y fath ofyniad, ches i erioed mo'r peth yn faich. Fwy nag unwaith fe barodd pregeth arbennig o effeithiol i fi ystyried y posibilrwydd o ddilyn camrau fy Nhad i'r weinidogaeth.

Nid nad oedd lleisiau amheuol i'w clywed o bryd i'w gilydd. Mae geni gof go glir am drafodaeth yn siop Ifans y Barbwr ryw fore Sadwrn a gŵr ifanc yn mynnu'i fod e'n cydymdeimlo â syniadau Bertrand Russell a Julian Huxley, ac roedd atheistiaeth yn destun trafod. Yr ateb parod i'r ddadl bod angen Duw i esbonio trefn a rhyfeddod byd natur oedd, 'Sut felly mae esbonio Duw?' Ryw ddiwrnod ymddangosodd y geiriau 'Myth yw Crefydd' (yn Saesneg wrth gwrs) ar fwrdd du ystafell Addysg Grefyddol yr Ysgol Uwchradd: ymateb annisgwyl yr athro fu agor trafodaeth ar ystyr y gair 'myth'.

Serch hynny, roedd gwreiddiau'r ffydd yn fy ymwybyddiaeth, a'i hapêl hefyd, yn ogystal â nirfawr barch at fy Nhad, a oedd wastad yn barod i drafod pethau felly yn amyneddgar-resymol, yn gyfryw ag i gadw'r amheuon draw. Newidiodd hynny ddim pan symudodd y teulu, a finnau'n 16 oed, i Gwm Nedd a chael yno, serch bod y Gymraeg ar encil, gynulleidfaoedd meddylgar-ddeallus a bywiog, yn cynnwys to ifanc. Bu cynhesrwydd y cynulleidfaoedd hyn yn gryn gefn i fi drwy flaenlencyndod digon ymrwyfus ac roedd y pregethu, gan fy Nhad a chan y gweinidogion a'r gwŷr lleyg ymweliadol, gyda rhai eithriadau, yn ddeallus, yn ddiffuant ac yn sbardunol.

Digwyddodd rhyw fath o ymchwydd efengylaidd-ffwndamentalaidd yn yr ardal tua diwedd y pumdegau. Un noswaith cafwyd dangosiad o ffilm am Billy Graham yn Nasareth, un o gapeli Nhad, ac rwy'n cofio syllu mewn gwrthwyneb ar rai o'r canlynwyr dan deimlad yn canu'r emynau efengylaidd yn ystod y *warm-up*. Dyfarniad Nhad ar genadwri Billy Graham yn y tŷ wedyn oedd 'Gwallgof'. Chafodd y digwyddiad ddim effaith, y naill ffordd na'r llall, ar fy syniadau i.

Pan es-i i Brifysgol Aberystwyth yn 1956 doedd dim cwestiwn na fydden-i'n parhau i fynd i'r cwrdd – dair gwaith y Sul yn ôl fy arfer – a bu cael Huw Wynne Griffith yn weinidog a John Bennett yn athro Ysgol Sul yn fodd i fodloni 'nisgwyliadau gorau.

Yna, ymhen rhyw ddwy flynedd, peidiodd yr ymlyniad, yn rhannol rhaid cyfaddef oherwydd deniadau cnawd a byd, alcohol, a thynfa i gydymffurfio â nghyd-fyfyrwyr digrefydd, ond yn bennaf am i fi, yn syml iawn, beidio â chredu yn Nuw. Welwn-i ddim sut y gellid cysoni realiti'r byd yr oeddwn-i'n dod yn fwyfwy effro i'w gyflwr â'r syniad o Fod Goruwchnaturiol hollalluog a chariadus. Roedd cyfoeth a chyfaredd y stori Gristnogol yn dal eu gafael arnaf-i ond roedd y syniad canolog yma – bodolaeth Duw – wedi peidio â gwneud synnwyr, wedi colli'i ystyr.

Gartref, adeg gwyliau ac yna wedi i fi gael swydd athro, mi fyddwn yn parhau i fynychu'r cwrdd rhag tramgwyddo'm rhieni, yr oedd eu ffydd yn hydreiddio'u bywydau mor gyfangwbl. Ar adegau roedd y tyndra rhwng yr ymlyniad allanol yma a'r ymddieithrio mewnol cynyddol yn boenus. Mater o amser fyddai-hi efallai cyn i fi gefnu.

Yna newidiodd popeth. Collodd Mam, a oedd eisoes yn drwm iawn ei chlyw, ei golwg, drwy broses hynod o boenus a thrawmatig. Wedyn collodd fy Nhad yntau ei iechyd a marw, o glefyd y galon wedi cystudd caled a hir, ym mis Chwefror 1963, yn 67 oed.

Bu'r profiadau yma'n fodd i'm hysgwyd o'm mewnddrychyd ymdrybaeddlyd blaenorol. Duw neu beidio, yr hyn a welais-i yn ystod y cyfnod caled hwn oedd Cristnogaeth ar waith: yng ngoddefiad fy Nhad o'i salwch, yn y ffordd y daeth Mam i delerau â'i dallineb, yn ei gofal cariadus o Nhad yn ei waeledd, ac yn arbennig yng ngharedigrwydd gwasanaethgar parhaus cymdogion ac aelodau'r capeli. Roedd fy rhieni wedi bod, cyn y cyfnod yma, yn mynychu cyfarfodydd y Weinidogaeth Iacháu. Ni adferwyd mo golwg Mam ond fe gafodd gymorth drwy'r gyfeillach a'r gweddïau i dderbyn ei chloffrwym, i 'gario'i chroes'.

Drwy'r amser roeddwn i'n ymwybodol o'r gefnlen drallodus i hyn oll: y ffaith i'm rhieni gladdu tri phlentyn mewn deng mlynedd heb ddangos arwydd o chwerwder na dadrithiad na cholli'r mymryn lleiaf o'u hymroddiad i'r bywyd Cristnogol.

Doedd dim modd, na dim awydd, cefnu wedyn. Credu yn Nuw neu beidio, roeddwn-i wedi gweld Cristnogaeth yn gweithio. Rhaid oedd glynu rywsut wrth 'grefydd' a bu Undodiaeth godre Ceredigion yn fodd i fi wneud hynny heb gael fy rhwymo gan ofynion athrawiaethol, am 38 o flynyddau. Er mod i'n gwerthfawrogi rhyddid 'crefydd rheswm' roeddwn-i yn gweld eisiau'r dwyster a'r ymdeimlad o ryfeddod a dirgelwch, ac yn wir y trafod ar yr athrawiaethau, yr oeddwn-i wedi'u profi'n ifanc. Ac yn eironig ddigon roedd tuedd gan yr Undodiaid i osod Duw yn y canol a Iesu Grist dim ond yn ei sgîl-e.

Mi fues yn dilyn yr ymdrechion i ail-ddiffinio Duw gan yr Esgob Robinson, Paul Tillich, J. R. Jones ac eraill ond o'r braidd yr oedd yr ymdrechion yna'n argyhoeddi ac, er gwaethaf ambell i lithriad gwrthgiliol, dwyf-i byth wedi dychwelyd at theistiaeth.

2 Llenorion

Mae'r tri llenor isod, yr wyf am drafod enghreifftiau o'u gwaith, yn dangos arwyddion clir o'r argyfwng ffydd a brofodd miloedd o Gymry Cymraeg yn ystod yr ugeinfed ganrif.

Thomas Gwynn Jones 1871-1949

Bu T. Gwynn Jones yn ffigwr cawraidd ym myd llenyddol, academaidd a diwylliannol Cymru gydol hanner cynta'r 20fed ganrif. Soniodd ei gofiannydd David Jenkins am 'ei gyfraniad enfawr i ddiwylliant Cymru' gan nodi bod 'cyfanswm ei gyhoeddiadau yn rhyfeddol ond [mai] y gwaddol cyfoethocaf a adawodd yw ei farddoniaeth'.[1] Ymysg ei gyfrolau pwysicaf mae *Caniadau* (1934) a *Y Dwymyn* (1944).

Cafodd ei fagu yn niwylliant y capel ac un o'r prif ddylanwadau arno oedd Emrys ap Iwan (Robert Ambrose Jones, 1851-1906), gweinidog gyda'r Methodistiaid Calfinaidd, cenedlaetholwr ac awdur blaengar a dadleuol. Roedd gweinidogion anghydffurfiol eraill ymysg ei gyfeillion pennaf.

Serch y fagwraeth a'r cysylltiadau yma cafodd enw o fod yn 'anffyddiwr'[2] ac anfynych y mynychai gapel. Roedd tuedd ynddo i ddioddef o'r pruddglwyf. Ar hyd ei oes bu'n ymgodymu â chwestiwn crefydd, gan 'noethi ei syniadau am fywyd ac angau' wrth ei gyfeillion yn y weinidogaeth anghydffurfiol, Tegla Davies a Silyn Roberts.[3] Bu gohebiaeth hir rhyngddo hefyd a Michael McGrath a ddaeth wedyn yn Archesgob Catholig Caerdydd. Mewn un llythyr 'mynnodd ... mai pagan ac amheuwr oedd' a dyfarniad David Jenkins yw bod yr ohebiaeth yn taflu 'goleuni ar un a gafodd ei faglu cyn hyn gan ei chwilfrydedd a'i [anhawster] personol i dderbyn rhai o'r dogmâu a bregethid ... gan weinidogion yr enwadau.'[4]

Beth bynnag am ddogmâu ac athrawiaethau, roedd Iesu Grist yn destun rhyfeddod ganddo. Soniodd mewn llythyr at Silyn am 'y gŵr mwyn o Nazareth, a'i ffydd loyw dawel a'i orchest fawr. Os nad oedd o'n Dduw, y Fo oedd y nesaf a fu erioed i fod. "Deuwch ataf fi bawb ar sydd yn flinderog a llwythog, a mi a esmwythâf arnoch." Nid wyf yn siŵr o gwbl beth oedd yn ei feddwl. Ond mi wn i hyn, y mae meddwl am a wnaeth ef yn esmwytháu dyn, rywfodd'.[5]

Roedd T. Gwynn Jones yn heddychwr o argyhoeddiad dwfn ac fe'i tristawyd a'i gynddeiriogi gan y gefnogaeth i'r Rhyfel Byd Cyntaf ymysg anghydffurfwyr Cymru.[6] Mae'n bwysig cyfeirio yma at ei gyfarfyddiad cyntaf â Tegla. Mentrodd hwnnw, gan wybod am agnosticiaeth honedig T. Gwynn Jones, nodi bod 'yr hen ryfel 'ma wedi creu llawer o anffyddwyr'. Ateb T. Gwynn Jones oedd, 'Ydi, ond wyddoch chi beth a wnaeth o i mi? Fy ngwneud i yn Gristion. Roeddwn i'n meddwl bod dynoliaeth yn datblygu'n ara a sicr, drwy addysg a datblygiad a gwareiddiad, i rywbeth niwlog a alwn i yn Deyrnas Dduw. Heddiw rydw i'n gweld nad oes dim ond dau ddewis iddi, – cyflawni hunanladdiad, fel y mae hi'n gwneud, neu ailgreadigaeth, drwy'r Arglwydd Iesu Grist'.[7]

Mae dau beth yn arbennig yn werth eu nodi yma. Yn gyntaf mai ar neges yr Iesu yn hytrach nag ar Dduw y mae'r pwyslais. Yn ail, fod ei safbwynt yn adlewyrchu'r dadrithiad cyffredinol a achosodd lladdfa ddisynnwyr y Rhyfel Mawr yn dilyn optimistiaeth y cyfnod o welliant cymdeithasol yn sgil twf economaidd – canlyniad diwydiannu, masnach fyd-eang a llwyddiannau gwyddoniaeth a thechnoleg.

Rwyf am drafod yn fyr dair o'i gerddi sy'n dweud llawer am ei ymdrech i ymgodymu ag argyfwng ffydd dros gyfnod y Rhyfel Byd Cyntaf. Mae'n sicr ei fod yn adlewyrchu'r math o gynnwrf meddyliol a brofodd llawer o'i gyfoedion.[8]

Cyfansoddwyd 'Ex Tenebris' ('O'r Tywyllwch') yn 1919, yng nghysgod y Rhyfel. Ffurf allanol gweddi sydd i'r gerdd, gyda llinellau agoriadol y penillion cyntaf ac olaf yn nodweddiadol o ddefosiwn ymbilgar ar adegau o ddioddefaint:

'Ffynnon pob ffydd, Iôr tragywydd, trugarog,
I ni na wad lefain arnad o'n cyni;..'

Ond o fewn y ffrâm ystrydebol yna mae'r cynnwys yn ingol, yn arteithiedig ac yn heriol. Fersiwn hynod ddidostur o Ddarwiniaeth sy wrth wraidd ei ddisgrifiad tywyll o nodweddion y natur ddynol: am y pegwn felly ag athrawiaeth y cwymp, sylfaen llawer iawn o bregethu poblogaidd y cyfnod. Drwy 'artaith hir ... o ddwfr, o dân, gwyllt ei anian, ... llaid y ddaear anghyflun' yr esblygodd y ffurfiau cyntefig ar fywyd

'Pan nad oedd fod, onid gorfod a gorthrech,
Na deddf na dlêd, ond eisiwed ei hunan.'⁹

Gyda gwawr rhyw fath o ymwybyddiaeth fe'i cafodd y creadur cyn-ddynol a fyddai ymhen amser yn esblygu'n ddyn ei hunan yn byw mewn dychryn

'Rhag gallu'r drwg oedd o'r golwg yn llechu,
Rhag nerth a gwg du dywyllwg yr hirnos...
Rhag grym y llid fyth nas gwelid â llygad'

Gan bwyll dysgodd dyn drin offer a chreu iaith. Datblygodd ei ddychymyg a'i gred mewn byd ysbrydol. Ond serch y cam cynyddgar yma yn ei ddatblygiad, rhyw gymysgedd arswydus o foesoldeb a chieidd-dra oedd yn ei nodweddu:

'O gas at fai, lladdai, llosgai, dinistriai,
O fryd ar deg, fyth ychwaneg ei ddifrod;...
O serch ar wir, traethai enwir ddychmygion,
Drwy waedlyd frad, mawrhâi gariad a rhinwedd'

Mae'n dilyn mai'r

> 'grog y sydd fyth i waredydd, a dirmyg,
> Ac urddo'i fedd, wag anrhydedd a'i foli.

Cri o berfedd anobaith sy'n cyflwyno'r weddi gloi,

> 'Felly y bu er pan ddyfu ddechreuad,
> Ai felly y bydd rawd tragywydd yr oesau?'

Ond yn y weddi ei hun y mae colyn. Beth yw ystyr y ddwy linell

> 'Cyd bo nad da, chwaith, na didda dithau,
> Cyd bo nad drwg, chwaith, na diddrwg ninnau'

os nad mai cymysgedd o dda a drwg yw'r 'Iôr tragywydd, trugarog' ei Hun lawn cymaint â'r creadur dynol truan y dewisodd Ef ei greu drwy broses gignoeth esblygiad?

Yma, yn ogystal â dwys-ystyried arwyddocâd chwyldroadol damcaniaeth esblygiad i Gristnogaeth draddodiadol, wele T. Gwynn Jones yn gofyn cwestiwn oesol. Os oes yna'n wir Dduw yn y nefoedd, beth y mae natur y byd a greodd-E a dioddefaint difesur dyn drwy'r oesoedd yn dweud wrthon-ni amdano?

Cyfansoddwyd 'Madog', un o gerddi mwyaf gorchestol T. Gwynn Jones, yn 1917-18 a'r gyflafan yn tynnu at ei therfyn. Dyfais er pwysleisio ymladdgarwch oesol dyn yw gosod y digwyddiadau yng Ngwynedd y 12fed ganrif, yn hanes yr ymrafael gwaedlyd rhwng Hywel a Dafydd, meibion Owain Gwynedd.

Delfrydydd angerddol yw Madog, y trydydd mab. Dan ddylanwad ei fentor, y mynach Mabon, bu yntau ar un adeg â'i duedd at yr offeiriadaeth, ond gwleidyddiaeth filwrol fu ei ddewis:

> 'Cerais fy ngwlad, ond cariad oedd hwnnw at ddinistr a
>   gorfod,
> Llid at rai eraill ydoedd, haint fy nghynddaredd fy hun!'

Nawr mae Mabon wedi dychwelyd. Ar bererindod i Gaersalem roedd yntau wedi gweld ffieidd-dra'r groesgad, 'trais er gogoniant Iesu, grym er cynnal y Grôg,' ond cafodd ei ffydd yn Nuw ei adnewyddu wrth ymweld â'r mangreoedd cysegredig. Cwbl ffyddiog yw ei ymateb i gri Madog, 'O Dad, a oes Duw yn y nefoedd? Onid aeth byd i'r annuw, O Dad oni threngodd Duw?':

> '·"Duw," medd y llall, "ni adawodd ei nef, na'i ofal
>   amdanom,
> Duw a luniodd ein daear, a Duw o'i thrueni a'i dwg" '

Mae delfrydiaeth Madog yn cael ei aildanio a dyma fe'n tywys Mabon at lestr y ddelfrydiaeth honno, y llong Gwennan Gorn, 'Crud fy nychmygion a'm credau...annedd ddilestair yr enaid...dôr pob rhyddid'. Ond mae'r ysbaid o hyder gobeithiol yn cael ei chwalu gan ddyfodiad Hywel o Iwerddon, ar gyrch milwrol i adfeddiannu'r tiroedd yr oedd eu brawd Dafydd wedi'u cipio yn ei absenoldeb. Anogaeth daer dros gymod sy gan Madog:

> 'Dig, er y maint fyddo degwch yr achos, pan drecho gyngor,
> Union rhag traws ni bydd yno, neb, na dim, namyn nwyd.'

ond ysfa am ddial sy'n meddiannu Hywel.

Erbyn diwedd y bygylu wele Hywel yn gelain a'r Gwyddyl yn troi nôl am Iwerddon.

Yna mae galw i gof y chwedlau am wlad o brydferthwch a chytgord y tu draw i'r môr yn cynnig llwybr newydd i obeithion Madog a dyma Mabon yn cymeradwyo'r fenter i wireddu '[b]reuddwydion dyn am y doniau nas gwypo'. Dyma gychwyn ar y fordaith a delfrydiaeth Madog wedi'i ailddeffro eto fyth:

'Madog, a fflam ei hyder a'i awydd yn gloywi ei lygaid'.

Ond fe ddaw natur gynddeiriog ei hun i chwalu'r cyfan. Naws sinistr sydd i'r disgrifiad o'r dymestl yn dygyfor: 'Eigion, pan ddatlewygo, dyn ni ŵyr ddyfned ei wae.' Mae ymdrech y morwyr yn wyneb ymosodiad arswydus yr elfennau yn arwrol ond mae 'tafod cyntefig y tryblith' gyda'i 'ochain ag wylo a chwerthin croch' yn gwatwar eu hymdrechion. Does dim i'w wneud ond plygu i'r anorfod a cheisio cysur tawelyddol dan fendith y Mynach:

'Arwydd y Grôg a dorrodd, a'i lais a dawelai ofn'

Ymhen dim o dro mae anturiaeth fawr Madog a'r dyheadau oedd wedi'u costrelu yn Gwennan Gorn wedi'u dileu'n llwyr:

'Trystiodd y tonnau trosti, bwlch ni ddangosai lle bu'.

Twf anffyddiaeth, ac impact hynny ar ddiwylliant gwerinol Cymru ddechrau'r 20fed ganrif, yw pwnc 'Y Trydydd' (1915). Mae cefndir y digwyddiadau, gwynt llym a storm eira, fel pe'n rhoi arwyddocâd cosmig i'r gwrthdaro rhwng dau lais y gerdd. Mwynwr, capelwr ffyddlon a chrediniwr angerddol, yw'r tad, un o '[d]dosbarth y dwylo cyrn a'r talcen craith'. Pris ei 'lafur maith/ A'[i boen] yn nyfnder daear' oedd addysg ei fab, cannwyll ei lygad ac un 'a dynnai

41

bawb, ag ef yn dair ar ddeg/ I weled ynddo ryw ddyfodol gwell'. Bradychwyd uchel-obeithion y tad wrth i'r mab hwnnw, ail lais y gerdd, gefnu ar ffydd ei fagwraeth.

Pan ddaw'r mab i ymweld â'i rieni, mae gwrthodiad y tad ohono yn ddigyfaddawd:

> ' "Dos
> Yn ôl i ganol dy dragwyddol nos,
> A bydded bythoedd ar dy ben dy waed,
> A ffydd dy dadau'n sarn o dan dy draed" '

A'r tad wedi dannod iddo aberth y llafur caled er ei fwyn, mae ymateb y mab lawn mor ddi-flewyn-ar-dafod:

> ' "Felly y bu eich dewis, – nid myfi
> A geisiodd gaffael hynny gennych chwi;
> Mynnech roi imi ddysg, a minnau, mwy,
> Ni allaf ddal i draethu'r twyll yn hwy' "

Yn ei gynddaredd dyma'r tad yn taro'r mab yn anymwybodol ac yn ei arswyd am yr hyn a wnaeth, yn dianc o'r tŷ a 'gludiog leithder coch' ar ei law.

Pan ddaw'r mab ato'i hun a'i ben ar arffed ei fam, dyma yntau drwy ddrws y tŷ i ganol y storm a'i ben 'yn llawn o ru fel sŵn y môr/ A dial yn fy ngwaed'. Mae'n dod o hyd i'w dad ar ei liniau yn yr eira 'rhwng muriau hen Fynachlog Maes y Groes' ac mae'r ddadl danbaid yn ailgynnau. "Hyd angau," meddai'r tad, "amddiffynnaf enw Duw", ond chwerthin gwawdlyd yw ymateb y mab: "A raid i'w enw wrth eich nodded chwi?"

Yna mae'r ddau'n cael eu taro'n fud. Yng ngolau'r lleuad wele gerflun o'r Crist croeshoeliedig ar fur y fynachlog, a'i wyneb 'yn llawn o gur', fel pe bai'n

'..araf wisgo cnawd...
Nes bod y drem, a'r loes
Yn llosgi popeth o'n heneidiau tlawd
Ond addfwyn ofid.'

Dyma'r ddau yn cyd-benlinio a'r mab a'i '[dd]wylo ynghlwm'.

'A safodd Rhywun rhyngom? Pwy a wad?
Ni ddwedodd ef ond "O, fy machgen tlawd!"
Na minnau unpeth onid "O, fy Nhad!"

Pwy neu beth oedd y Rhywun? Y mab sy'n ateb:

'A'r Trydydd – brithgof cymhleth gïau'r cnawd?'

O ganol ei resymolder ni all y mab ddim peidio cydnabod dilysrwydd grymus y neges Gristnogol. Amwys yw ergyd derfynol y gerdd ond mi allwn ddweud dau beth. Yn gyntaf mai Iesu, nid Duw, sy'n cymodi'r ddau. Yn ail mai cnawd, eiddo Iesu ac eiddo'r tad a'r mab, yw cyfrwng, os nad holl ystyr, y cymodi hwnnw.

E. Tegla Davies (1880-1967)
Roedd Tegla yn gyfaill agos, yn wir yn rhyw fath o dad-gyffeswr, i T. Gwynn Jones. Addas iawn hynny, ac yntau'n feddyliwr mor ddeallusgraff a chwestiyngar a dwys, un o fawrion y pulpud Cymraeg.

Fe'i ganwyd-e i deulu tlawd, yn fab i chwarelwr y bu rhaid iddo barhau i weithio, 'rhag cyni', wedi damwain ddifrifol. Ar ôl cyfnod yn ddisgybl-athro, cychwynnodd Tegla ar ei yrfa yn weinidog Wesleaidd yn 1901.[10] Dros yn agos i hanner can mlynedd fe enillodd brofiad cyfoethog ac eang o bobl, o gymdeithas ac o grefydd anghydffurfiol, yn enwedig drwy orfod symud, yn ôl gofynion ei enwad, i wahanol ardaloedd ar draws y Gogledd ac yn Lloegr. Ymddeolodd o'r weinidogaeth yn 1946 oherwydd salwch ei wraig a fu farw yn 1948, ond daliodd i bregethu. Cafodd yrfa lenyddol brysur hefyd, gan gyhoeddi dros 40 o lyfrau a llyfrynnau, yn cynnwys dwy nofel.

Os cafodd neb ei drwytho yn nhraddodiad Cristnogol efengylaidd Cymru, Tegla oedd hwnnw. Yn ei gartref, 'pan ddeuai'r Sul yr oedd pawb yn awchus am y capel' a byddai'i dad yn cadw'r 'ddyletswydd deuluaidd' bob nos.[11] Cafodd ei fagu yng nghyfnod y capeli gorlawn, a'r rheini'n cynnig ystod gyfoethog o brofiadau diwylliannol ac addysgol yn ogystal ag ysbrydol. Ag yntau'n paratoi ar gyfer y weinidogaeth roedd y profion traddodiadol o fodolaeth Duw – y cosmolegol, yr ontolegol, y teleolegol a'r moesol – yn ei argyhoeddi'n llwyr. Testun penillion digrif yw 'anghrediniaeth'.[12]

Gydag amser fodd bynnag mabwysiadodd Tegla'r rhyddfrydiaeth ddiwinyddol yr oedd ei dylanwad ar gynnydd ddechrau'r ugeinfed ganrif. Yn ei hunangofiant *Gyda'r Blynyddoedd* mae'n disgrifio'i genhadaeth addysgol yn cyflwyno'r 'feirniadaeth newydd' honno, sef dehongliad o'r Beibl yng ngoleuni astudiaethau testunol modern, mewn cyfres o ddarlithiau i'w gynulleidfa yn Nhregarth. Tegla a'i gyfaill D. Tecwyn Evans a olygodd *Llestri'r Trysor*, cyfrol am y feirniadaeth newydd a achosodd gythrwfl mawr ac y gwrthodwyd ei chyhoeddi gan Gymanfa'r Wesleaid.[13]

Yn nhraddodiad efengylaidd y Wesleaid roedd y syniad y gallai tröedigaeth grefyddol newid cwrs bywyd dyn yn un cwbl real ac mae Tegla'n rhoi nifer o enghreifftiau.[13] Mae'n ddiddorol serch hynny nad mewn termau efengylaidd cyfarwydd y mae'n disgrifio'i dröedigaeth e'i hun. Mae'n wir mai yn dilyn 'wythnos o bregethu bob nos yn y capel' y bu hynny, ond does dim son am gynnwys y pregethau nac am Dduw na Iesu Grist, dim ond iddo adael y capel ar ôl un oedfa 'fel petai helgwn ar fy ôl' a chyrraedd man lle gallai weld 'golygfa syfrdanol' o wastadedd Caer. Meddai, 'Ni wn am unman â'r ffurfafen yn gymaint o gromen fawr gysgodol dros y byd. Sefais yno ... nes fy mod yn gweld i bellter mawr, a'r tawelwch yn fyw ac yn troi'n dangnefedd. Yn ara deg teimlwn ddyfod drosof lonyddwch esmwyth. Euthum adref, ac ni fu bywyd byth wedyn yr un fath'.[15]

Astudiaeth o dröedigaeth yw ei nofel *Gŵr Pen y Bryn*[16] ond mae'n drawiadol mai mewn termau seicolegol-gymdeithasegol y mae Tegla ei hun yn dehongli 'deffroad [yr] enaid cyffredin', John Williams, Gŵr Pen y Bryn. Yn gymdeithasegol roedd-hi'n annioddefol i John Williams, oedd yn perthyn i 'adran freiniog y gymdeithas', beidio â cheisio 'cynghanedd i'w fywyd' wedi iddo weld Mathew Tomos, gwas ffarm, yn 'gwenu wrth farw', ag enw Iesu ar ei wefusau. Yn seicolegol, ymgais am intégriti cymeriad yw ymchwil John Williams am Dduw. Ar hyd ei oes mae wedi ymdeimlo â'r agendor rhwng ei statws cymdeithasol ar y naill law a'i wendid mewnol ar y llaw arall. Mewn 'seiat arbennig' i ddathlu arwyr Rhyfel y Degwm y mae'r dröedigaeth yn digwydd. John Williams yn dinoethi ger bron trigolion yr ardal ddau anwiredd mawr yr oedd-e wedi'u celu er mwyn gwarchod ei enw da. Drwy'r gyffes mae'n aberthu, dros dro beth bynnag, barch ei gyd-ardalwyr, ac eithrio tri, ac yn ennill ei intégriti mewnol.[17]

Mae disgrifiad yr awdur o bererindod ysbrydol John Williams yn wefreiddiol-deimladwy, ac yn ddiffuant felly, ond mae'i ddadansoddiad o'r hyn sy'n ysgogi'r dröedigaeth yn hynod o glinigol. Mae'n pwysleisio mai Cristnogaeth efengylaidd oedd 'yr unig ddrws agored' i Ŵr Pen y Bryn 'sicrhau cynghanedd i'w fywyd yn y gymdeithas wledig seml, gyfyng ei gorwelion, y mae-e'n rhan ohoni.[18]

Mae portread Tegla o ddiwylliant capelyddol ei oes yn cyfuno'r ddwy agwedd yna, sef y cymdeithasol a'r mewnol. Mae'i ymlyniad wrth grefydd yn angerddol, gydag elfen gref o hunanarchwiliad, a'i ysgrifennu'n fynych yn ddefosiynol. Ond mae'r portread hefyd yn ansentimental realistig. Ochr yn ochr â chydymdeimlad mawr mae enghreifftiau o gollfarn ar ragrith capelwyr, dychan miniog bryd arall ac, ar adegau, gyffyrddiadau o sinigiaeth. Mae chwalu delfrydiaeth yn thema gyson, fel yn achos y Parch T. Cefnllech Roberts, gweinidog gŵr Pen y Bryn (Pennod VI). Tra'n rhyfeddu at ogoniant y cread mae Tegla'n sylwi hefyd ar 'yr elfen ddidostur sydd yn gynhenid yn Natur er seiliad y byd' (nid, sylwer, ers y Cwymp).[19] Mae'i stori gignoeth 'Yr Ornest', am frwydr rhwng cath a llygoden fawr, yn ddigrif ac yn arswydlawn ar yr un pryd.[20]

Rhwng popeth nid rhyfedd efallai i Tegla brofi argyfwng ffydd go ddifrifol. Ym mhennod XVII 'Gyda'r Blynyddoedd', am ei gyfnod yn Ninbych (1922-25), mae'n disgrifio salwch tebyg i fethiant nerfol sy'n ei orfodi i orffwys yn llwyr o'i waith a rhoi'r gorau i bregethu. Nodwedd y pregethu hwnnw, meddai, oedd 'clyfrwch yn cuddio llawer o ansicrwydd'. Yn y 'dyddiau duon' hynny doedd gweddi ddim yn tycio. Un noson fodd bynnag, ac yntau'n credu ei fod ar fin colli'i olwg, 'yng ngwewyr eithaf fy ymbil' dyma fe'n clywed llais cwbl glir yn llefaru'r geiriau a glywodd yr Apostol Paul yntau (2 Corinthiaid 12.90), 'Digon i ti fy ngras i; canys fy nerth i a berffeithir mewn gwendid'. Y funud honno gallodd ymddiried yn Rhagluniaeth ac fe drodd at wella.[21]

Serch hynny adawodd yr amheuon ddim ohono'n llwyr. Tra yng Nghoed Poeth ym mlynyddau cynta'r Ail Ryfel Byd gosododd gofidiau teuluol, yn cynnwys salwch ei wraig, 'braw mawr ar honiadau fy mhregethu ar hyd y blynyddoedd' a pheri iddo 'gwestiynu'r egwyddorion sylfaenol'. Yr hyn a'i hachubai ar adegau felly oedd cymorth ac esiampl 'pobl a fu yn y ffwrn ac a ddaeth i'r canol fel aur coeth'. Mae'n tystiolaethu'n arbennig i effaith gweddi wrth erchwyn gwely Miss Davies y Nant, santes o wraig a oedd wedi bod yn orweiddiog ers iddi dorri'i chefn yn 8 oed, a hithau'n gafael yn ei law nes 'bod iasau'n mynd drwof fel petai santaidd law tyner Fab y Dyn wedi ei gosod ar fy llaw i' ac yntau'n mynd oddi yno 'fel gŵr newydd ymdrochi ym môr y cariad tragwyddol'.[22] Esiamplau felly sy'n rhoi prawf iddo o wirionedd Cristnogaeth, nid 'llyfrau diwinyddol... ysgolheigaidd yn ymresymu'n gadarn a chlir ei gwirioneddau'.[23]

Yn ei Emyn sy'n cloi ei gyfrol atgofion *Gyda'r Hwyr* (1957) a gyhoeddwyd ddeng mlynedd cyn ei farw, mae'n gofyn maddeuant am ei 'amheuon', ei 'fwhwman ffôl' rhwng 'Gwynfyd mawr, a du wasgfeuon' a'i 'wamal fryd' ac yn ymbil ar Iesu i ddod 'at un a gloffodd cyd' er mwyn iddo o'r diwedd rodio 'Ar y môr heb suddo mwy'.

Mae'r nodyn dwys lled-obeithiol yna'n jario â brawddeg obennol y gyfrol ar y tudalen gyferbyn. Ei ateb i'r cwestiwn, ai undeb yr enwadau yw angen mawr crefydd Cymru heddiw, yw hyn: 'Efallai'n wir, canys mwy difyr yn ddiau fydd marw gyda'n gilydd nag ar ein pennau'n hunain'.[24]

T. Rowland Hughes (1903-1949) a'i Weinidogion

Ganwyd y darlledydd, y nofelydd a'r bardd T. Rowland Hughes yn 1903 yn fab i chwarelwr ym Methesda, Sir Gaernarfon. Wedi gyrfa academaidd ddisglair bu'n gweithio ym myd addysg cyn cael ei benodi yn gynhyrchydd rhaglenni gyda'r BBC. Rhwng 1943 a 1947, ac yntau'n dioddef o'r sglerosis ymledol a oedd wedi ei daro gyntaf yn 1937, cyfansoddodd bum nofel hynod boblogaidd. Bu farw yn 1949 yn 46 oed.

Rwyf am gyfeirio at dair o'r nofelau, *William Jones,*

Chwalfa a *Y Cychwyn*, lle mae'r awdur yn portreadu ymdrechion y dosbarth gweithiol i ennill eu hawliau yn ogystal ag ymddiwyllio ac ymddyrchafu'n addysgol a'r modd yr asiwyd yr ymdrechion hyn â Christnogaeth anghydffurfiol. Ym mhob un o'r nofelau mae gweinidogion yn gymeriadau arwyddocaol a, gydag un eithriad, yn ffocws trafodaeth ar yr ymdrech i addasu athrawiaethau Cristnogaeth i amgylchiadau'r byd modern.

Yr eithriad yw 'Mr Edwards y gweinidog' yn *Chwalfa*,[25] nofel yn seiliedig ar streic Chwarel y Penrhyn (1900-03). Cymeriad cefndirol yw Mr Edwards, gydag un ymddangosiad yng nghorff y nofel fel cadeirydd pwyllgor apêl y streicwyr. Fe, fodd bynnag, sy'n cael y gair olaf, yng ngwasanaeth angladdol Robert Williams, arweinydd y streic. Mae'i weddi yn cynnig cysur i'r dyrfa fawr drwy ddarlunio aberth arwrol ond methiannus y streicwyr o bersbectif tragwyddoldeb, neges sy'n cael ei hatgyfnerthu gan yr emyn, 'O fryniau Caersalem ceir gweled / Holl daith yr anialwch i gyd'. Galwad am gymod rhwng streicwyr a bradwyr 'yn yr ardal ddrylliedig hon' sy'n cloi'r weddi.

Dirwasgiad y 1930au yng nghymoedd y De yw cefndir *William Jones*.[26] Mae Mr Rogers, gweinidog Cwm y Glo, yn gymeriad dylanwadol a thra deniadol. Mae'n ei uniaethu'i hun â gwrthsafiad y dosbarth gweithiol drwy wrthod galwadau i ofalaethau mwy cysurus ac yn perswadio'r blaenoriaid i droi festri'r capel yn glwb i'r di-waith (t. 82). Mae ei sosialaeth Gristnogol, â'i phwyslais ar 'gariad brawdol', yn fodd i ddenu'r Comiwnydd, Shinc, sy wedi arfer gweld crefydd fel *'dope'*, yn ôl i'r cwrdd (t. 255).

Ond beth am Dduw? Ar bregeth (tt 97-99) mae Mr Rogers yn codi'r cwestiwn, 'Os oedd Duw'n gariad...sut y gallai wylio afiechyd a phoen a gormes a chyni ... [a'r] tlodi a'r cur yn y cymoedd digysur hyn?' Fe wyddai am lawer, meddai, 'a ysgwydai ddyrnau ffyrnig yn wyneb y nef'.

Hawdd gofyn y cwestiynau yma drachefn a thrachefn 'a'r meddwl truan fel rhywun dall yn ymlwybro mewn cors'. Sut felly mae delio â'r dryswch?

Mae Mr Rogers y modernydd yn gwrthod y syniad mai 'cerydd y Tad oedd y dyddiau blin' ac yn mynnu mai rhyfyg a hunanoldeb dyn oedd y drwg. Mae'n datgan bod y 'dewrder a'r aberth a'r cymwynasau dirifedi' a welwyd ynghanol yr adfyd yn esiamplau byw o'r ffaith mai 'Cariad yw Duw' ac y 'gwyliai Duw â phryder ac edmygedd ymdrechion ei blant'. Yn fwy na dim 'fe ddisgleiriai cariad Duw yn ei Fab drwy holl niwl a thywyllwch y canrifoedd', a'r Groes yn 'arwyddlun perffaith' o'r cariad hwnnw.

Mae *Y Cychwyn*[27] yn cynnig myfyrdod mwy deallgar ar y sialens i Gristnogaeth uniongred yn hanner cynta'r 20fed ganrif. Y Parch Owen Ellis yn galw i gof y cwestiynau dreiniog y bu e'n ymgodymu â nhw ac yntau'n chwarelwr ifanc â'i fryd ar fynd i'r weinidogaeth yw ffrâm y nofel. Gwrthbwynt trawiadol i'w amheuon, sy'n amlwg yn aros gydag e wrth iddo baratoi i lunio'i atgofion, yw'r portread o'i daid, Owen Gruffudd, ffwndamentalydd o bregethwr cynorthwyol ysgubol yn ei ddydd. I hwnnw roedd popeth yn glir, a'r cysylltiad rhwng Cristnogaeth efengylaidd a'r frwydr dros gyfiawnder cymdeithasol yn ddiamheuol amlwg.

Mae cof Owen Elis am noson ei bregeth gyntaf yn boenus o arwyddocäol. Ag yntau'n traddodi ar y testun 'Byddwch chwi gan hynny yn berffaith, fel y mae eich Tad yr hwn sydd yn y nefoedd yn berffaith' i gynulleidfa gyfeillgar, astud, mae'n sylwi ar 'rywun mingam, gelynol' sy, wrth iddo ddal ei lygad, yn edrych ymaith 'a'i lygaid yn galed a'i enau'n dynn'. Ei gyfaill agos Wil Cochyn yw hwn ac mewn cyfarfyddiad dramatig wedi'r cwrdd mae hwnnw'n egluro. Methu dod i delerau y mae â'r ffaith i'w fam weddw, gwraig grefyddol rinweddol os bu un erioed, orfod cael ei chloi mewn aseilam i'r sâl eu meddwl wedi iddi ymosod ar ei merch â chyllell. Deirgwaith mewn dwy dudalen mae'n holi sut mae 'gwneud sens' o beth felly. Unig ateb yr Owen Elis ifanc yw na allai yntau esbonio, fwy nag y gwyddai pam yr oedd Iesu Grist yn 'ddyn ifanc tair ar ddeg ar hugain, yn gorfod diodda holl arteithia'r groes' (tt 132-33).

Chafodd Wil Cochyn ddim o'i argyhoeddi ac mae'n ailymddangos tua diwedd y stori yn rhan o réntacrowd meddw'r Torïaid sy'n tarfu ar rali etholiadol y Rhyddfrydwr.

Cyfarfyddiad â Rhiannon, merch beniog addysgedig y Parch Ebenezer Morris, sy'n ysgogi argyfwng ffydd fwyaf difrifol Owen. Gan wybod am ei fwriad i fynd yn weinidog mae Rhiannon yn cellwair yn watwarus am lythrenoliaeth Feiblaidd ei thad a naïfrwydd y blaenor santaidd Lias Thomas, ac yn cynnig benthyg llyfrau Darwin iddo i'w ddarllen. Yntau'n gwrthod a hithau'n gofyn, 'Oes arnach chi'u hofn nhw Owen?'

Serch ei amddiffyniad herfeiddiol o ffydd Lias Thomas mae'r ddadl â Rhiannon yn hau amheuon difrifol ym meddwl Owen ac mae'n eu rhannu â'i frawd hŷn, Dafydd. Dafydd sy'n trefnu sgwrs rhwng Owen a'r ymgeisydd seneddol Rhyddfrydol sy ar y pryd yn ymgyrchu yn yr ardal. Academydd ifanc yn Rhydychen, ymenyddol ddisglair ac eang ei ddiwylliant, yw William Jones, un o frîd Cymru Fydd. Mae Owen wedi clywed y son am ei anffyddiaeth honedig, a'r ffaith iddo gael ei ddiaelodi o gapel Cymraeg yn Llundain am ei fod yn 'anuniongred fel athro Ysgol Sul' (t 217).

Mae'r ymgom rhwng Owen a William Jones (tt 227-32) yn batrwm o ymdrech anghydffurfwyr diffuant, goleuedig troad y ganrif i gysoni Cristnogaeth â Darwiniaeth. Mae'r dyfyniad canlynol yn crynhoi dehongliad optimistaidd William Jones:

'"Datblygiad" ydi gair mawr y gwyddonydd ac fel datblygiad y mae o'n gweld hanas y cread a hanas dyn, popeth yn ymgyrraedd at fywyd cryfach a llawnach. Ym myd ysbryd dyn y mae'r ymgyrraedd hwnnw ar 'i ora, ar 'i fan ucha, ac 'wn i ddim am well cronicl, am ragorach datguddiad, ohono fo na'r Beibl', ond bod rhaid wrth gwrs ddeall llawer iawn o hwnnw 'fel damhegion, fel darnau byw o'r meddwl cyntefig'. 'Mae'r bwganod yn dechra' mynd, Mr Jones,' medd Owen ac wele'r ddiwinyddiaeth ryddfrydig newydd yn ei alluogi i fwrw ymlaen â'i yrfa weinidogol.

Wrth synfyfyrio am hyn oll yn ei hen ddyddiau fodd bynnag, mae dirywiad brawychus y capeli ac amherthnasoldeb yr athrawiaethau a foldiodd ei ymwybyddiaeth gynt yn peri iddo ofyn 'ai yn hydref crefydd y magwyd ef' (t 205). Yn yr Epilog serch hynny (tt 245-6) rydyn-ni'n ei weld yn gobeithio am ddeffroad ymysg lleiafrif yn cwrdd 'mewn ystafell seml a phlaen', fel yr Iesu a'i ddisgyblion gynt. Faint o argyhoeddiad tybed oedd gan y nofelydd wrth gofnodi hyder y Parch Owen Ellis mai'r Beibl 'fyddai sail y gweithgarwch newydd hwn... "Canys sylfaen arall nis gall neb ei osod" '?

3 Athronwyr, Diwinyddion ac un Gwyddonydd

Yn yr adran hon rwyf am ystyried dau beth: ymdrech yr Athro J. R. Jones i ailddiffinio Cristnogaeth a thrafodaeth yn y ganrif bresennol am sialens gwyddoniaeth i gredo traddodiadol.

J. R. Jones (1911-70)

Bu J R Jones ar un adeg yn ymgeisydd am y weinidogaeth ond wedi ennill graddau prifysgol disglair yn Aberystwyth a Rhydychen, dewisodd ganlyn gyrfa academaidd fel athronydd. Daliodd ati i bregethu'n achlysurol. Bu'n Athro Athroniaeth ym Mhrifysgol Abertawe o 1950 tan ei farw annhymig yn 1970. Cafodd ei areithiau a'i ysgrifau am genedlaetholdeb a'r Gymraeg gryn ddylanwad ar Gymdeithas yr Iaith. Delio y mae ei gyfrol *Ac Onide*[28], a gyhoeddwyd ym mlwyddyn ei farw, ac sy'n cynnwys ei bamffled *Yr Argyfwng Gwacter Ystyr*, saith pregeth a chwech ysgrif, â'r angen i 'chwyldroi ein Cristnogaeth' er mwyn ei gwneud yn berthnasol i oes nad yw llawer o'r athrawiaethau traddodiadol yn gwneud synnwyr iddi. Dylanwadwyd arno'n arbennig gan Paul Tillich, Dietrich Bonhoffer, Ludwig Wittgenstein a Simone Weil.

Man cychwyn ei ymresymiad yw bod y syniad o Dduw fel bod ymysg, neu hyd yn oed uwchlaw, bodau eraill, yn ddiystyr 'yn ein diwylliant gwyddonol, rhyddymofynnol, anghrediniol' ni. Yn wir roedd 'Duw y *gellir* codi cwestiwn yn ei gylch, A ydyw'n bod ai peidio...yn rhwym o farw'. (tt 6-7).

Yn arbennig rhaid ymwrthod â'r syniad bod Duw yn weithredol yn y byd, yn enwedig y gred 'fabanaidd', agwedd ar grefydd 'swcwr', y gallai Duw ymyrryd rywfodd i'n gwarchod. (tt 17-19). Dyma bwynt y bregeth 'Ac Onide' sy'n seiliedig ar stori'r tri llanc yn y ffwrn dân yn Llyfr Daniel (tt 52-58)

Ei gam nesaf yw arddel syniad Tillich, a boblogeiddiwyd gan yr Esgob John Robinson yn ei gyfrol *Honest to God*, o Dduw fel 'gwaelod a dyfnder [ac ystyr] Bod' (t 6- 7). Mae'n datblygu'r syniad yna drwy fanylu ar waith Duw yn creu'r byd, gan ddilyn Simone Weil. Gan fod Duw 'yn llond pob lle' yr unig ffordd y gallai Fe greu byd a bodau meidrol oedd drwy 'ei absenoli ei hun allan o ryw ddarn o "ofod bodolaeth" ' i wneud lle iddyn-nhw. 'Ymwacâd' yw term JR Jones am y weithred gariadus hon o eiddo Duw (tt 19, 29). Wedyn fe 'absenolodd [Duw] ei hun o *ddigwyddiadau*'r byd drwy ymatal rhag ymyrryd yng ngwead Rhaid, sef yn nhyngedfenolrwydd achos ac effaith'. Dewisodd Duw 'fod yn ddiallu yn y byd' (t 19) a'i adael, gan gynnwys y 'corff dynol, fel pob darn arall o fater, i'w ddarostwng i swae achos ac effaith' (t 82).

Yn ei bregeth (tt 36-51) ar emyn enwog Ann Griffiths, 'Rhyfedd, rhyfedd gan angylion',[29] mae'n manylu ar y weledigaeth yma o Dduw. Mae'n dadlau dros wneud arwyddlun yr emynydd o Dduw fel 'Rhoddwr Bod' yn fan cychwyn ein diwinyddiaeth. Mae'r arwyddluniau eraill, 'Cynhaliwr helaeth' a 'Rheolwr popeth sydd', fodd bynnag, wedi'u gwacáu o'u hystyr, drwy i'n hoes ni 'edrych yn fanylach ar dyb y Crefyddau Swcwr mai Duw *presennol yn ei fyd* sy'n ei reoli a'i gynnal, a chael nad oedd y Duw hwnnw ddim yno.'

Mae arwyddlun y Rhoddwr Bod yn ein galluogi i 'ffeindio ffordd newydd o *amgyffred ac o deimlo Duw*' (t.6), ac effaith hynny yw ennyn teimladau o ostyngeiddrwydd a diolch (t 47) a'r diolch hwnnw'n dod 'yn rhan o gytgan gyffredinol y Cread am y fraint o gael bodoli'. Ymhellach, 'drwy dreiddio...at y cydiad dwfn sydd rhwng 'bod' a 'da', rhwng 'da' a 'diolch' a rhwng 'diolch' a 'Duw' y mae i'n hoes feistroli'r Gwacter Ystyr y mae dyn cyfoes yn dioddef ohono (t 51).

Fodd bynnag, nid mater o feithrin profiad personol o Dduw yn unig yw bod yn Gristion. Mae ailgodi radicaliaeth Gristnogol i wynebu sialensau mawr ein hoes yn allweddol i neges 'broffwydol' (t 110) J. R. Jones. Mae'n cysylltu hyn â'r syniad bod Duw, serch iddo'i gloi'i hun allan o'r bydysawd a greodd, yn gweinyddu barn yn anuniongyrchol drwy danseilio bwriadau grymusion y ddaear. Enghreifftiau o'r tanseilio hyn yw 'gwrthryfel...y dyn cyntefig yn erbyn cael ei gloi y tu mewn i garchar y Crynoadau Gallu', neu brotest 'cenedlaetholdeb lleiafrifoedd...yn erbyn eu hysbeilio o wreiddyn eu gwahanrwydd' (t 112-3).

Yn arbennig mae'i ddehongliad o genhadaeth yr Iesu a'r croeshoeliad yn canoli ar radicaliaeth Gristnogol. Mae'n cytuno ag Albert Schweitzer mai disgwyliad yr Iesu hanesyddol, yn ôl syniadau Meseianaidd ei gyfnod (t 126), oedd bod Duw ar fin ymyrryd yn y byd i sefydlu'i Deyrnas a bod ei fethiant i wneud hynny yn siom chwerw iddo, ac yntau'n dioddef artaith y croeshoelio.

Cenhadaeth Cristnogaeth yn ein hoes ni yw 'cysylltu'n *hewyllys* ag ewyllys Iesu' i '"dreisio" dyfodiad Teyrnas Dduw' (t 93) drwy ymarfogi â 'thechnegau gwrthwynebiad di-drais'. Fel arall mae yna berygl real 'y collir y byd bellach yn anadferadwy i feddiant Satan'.

Ymysg y bygythiadau y rhaid eu gwrthwynebu y mae 'pŵer y cyfunglwm o bwerau anferth... o fuddiannau economaidd, technolegol a militaraidd [a] phŵer y cyfryngau torfol sy'n...gwyro meddyliau a theimladau dynion' (tt 221-2). Bygythiad cysylltiedig yw dylanwad y meddylfryd gwyddonol a thechnolegol sy'n dad-ddynoli dyn drwy ei rydwytho i'w elfennau crai, yn ei weld yn ddim ond 'darn safoneiddiedig' at wasanaeth y peiriant economaidd. Perygl cyferbyniol yw i ddyn fanteisio ar absenoldeb gwirfoddol Duw o'i fyd i ymddyrchafu a dod yn hunanddigonol drwy ei gampau gwyddonol a thechnolegol (t 113).

Dyma rai sylwadau digyswllt braidd i gloi hyn o ymdrech i grynhoi gweledigaeth J. R. Jones.

Er ei fod yn gwrthod y syniad o Dduw fel bod ymysg bodau mae Duw amgen J. R. Jones fel pe'n meddu ar briodoleddau bod personol. Mae'n 'ewyllysio creu byd a bodau dynol' (t 29), mae'i 'ewyllys tuag atom yn un Dadol warcheidiol' (t 60), ac mae 'wedi gosod ei "ddarpariaeth ragluniaethol" ar ein cyfer i mewn megis yng ngwead y byd'. Mae'n '*ddifrycheulyd dda*' (t 109) ac yn ein caru. Mae ganddo hawliau, megis 'yr hawl i sefyll mewn barn ar weddill [sic] y byd' (t 109). Anodd cysoni'r portread hwn â'r gosodiad bod 'Duw y *gellir* codi cwestiwn yn ei gylch, A ydyw'n bod ai peidio... yn rhwym o farw' (tt 6-7). Tebyg y dadleuai J. R. Jones mai arwyddluniau sydd yma, ond mae'r defnydd ohonyn yn awgrymu'u bod-nhw'n cynrychioli rhyw fath o realiti gwrthrychol.

Yn ail, mae yna elfen wrth-ddyneiddiol a phwyslais collfarnus ar rysedd yr hil ddynol ('dynion cibddall' (t 19)) yn rhedeg drwy ei ysgrifeniadau, agwedd yr ydyn-ni'n ei chlywed o'r pulpud Cymraeg yn rhy fynych o lawer ysywaeth. O dderbyn, fel y mae J. R. Jones, mai creadigaeth Duw yw dynoliaeth, onid yw-hi'n dilyn bod y Duw hwnnw wedi gosod ein tueddiadau naturiol ynon-ni yn rhan o'n gwneuthuriad?

Mae'r duedd i gollfarnu dyn yn gysylltiedig ag agwedd ddrwgdybus J. R. Jones at wyddoniaeth a thechnoleg, sy'n taro'n chwithig o geidwadol yn wyneb rhyfeddod darganfyddiadau gwyddoniaeth a bendithion trawsnewidiol technoleg ein cyfnod ni.

Lawn mor chwithig erbyn hyn yw naws apocalyptaidd, simplistig ei draethu 'proffwydol', wedi'u gwreiddio ym mhryderon y 1960au, a'i rybuddion am berygl '*cwymp candryll i anwarineb technolegol*'. Rwyf i yn un yn gweld yr apocalyptiaeth yma'n hynod o amherthnasol wrth sylwi ar rai o ymenyddiau mwyaf cyhyrog a goleuedig ein hoes ni yn ymlafnio i geisio datrys problemau astrus nad oes modd yn y byd i'w gweld yn nhermau dewis clir rhwng drwg a da.

Dadl yn Y Traethodydd *2008-11*

Drannoeth y Nadolig 2004, bu daeargryn anferth yng Nghefnfor India a esgorodd ar swnami gyda'r mwyaf a fu yn y cyfnod diweddar. Lladdwyd 230,000 o bobl mewn 14 o wledydd a difrodwyd cymunedau arfodirol gan donnau can troedfedd o uchder. Cafwyd ymateb dyngarol cydwladol rhyfeddol.

Ymateb rhai crefyddwyr i'r drychineb yma a symbylodd Gareth Wyn Jones (GWJ) i lunio'i ysgrif 'Tswnamis bach a mawr' a gyhoeddwyd bedair blynedd yn ddiweddarach ac a esgorodd ar drafodaeth bellach.[30]

Yn ei ysgrif mae GWJ, gwyddonydd biolegol ac amgylcheddwr nodedig, yn pwysleisio'i wreiddiau yng Nghristnogaeth anghydffurfiol Cymru a'i dristwch o weld dirywiad trychinebus y capeli (t.6) ac yn cyfeirio at ddatganiadau rhai ffwndamentalwyr Cristnogol ac Islamaidd mai barn Duw oedd y swnami (t 5). Mae'n olrhain hanes y bydysawd, y Ddaear ac esblygiad dyn, ac yna dwf gwareiddiad, yng ngoleuni'r byd-olwg a ddatblygodd 'yn sgil tair canrif o ymchwil ac arbrofi gwyddonol'. Mae'n nodi bod y bydysawd yn gwbl ryfeddol a chryn dipyn yn hynotach (*'queerer'*) nag a dybiwyd ar un adeg. Serch mai 'rhannol ac anghyflawn' yw gwirioneddau gwyddoniaeth (t 7) maen-nhw'n adeiladu ar ei gilydd ac mae technoleg yn brawf o gadernid eu casgliadau.

Craidd ei ddadl yw ei bod yn amhosibl cysoni natur ddidostur a chaotig y bydysawd â'r syniad o Dduw daionus, cariadus (t 15) ac ymyrrol (t 19), gan dynnu ar y dystiolaeth wyddonol ynghylch y 'pum difodiant' mawr a ffactorau hinsoddol a ddifododd 99.9% 'o'r holl rywogaethau a fu'n byw ar y blaned hon'. Y dinistr anfesuradwy yma a agorodd y drws i esblygiad dynoliaeth a thwf ein gwareiddiad ni (tt 12-14).

Mae'n bwysig meddai i ni dderbyn mai 'adeiladwaith dynol' yw Duw tra'n dathlu'r ffaith 'mai'r cysyniad o "Dduw Cariad" yw uchafbwynt deallusol a moesol y ddynoliaeth' (t 22).

Yn Ionawr 2009 cafwyd ymateb gan Stephen Nantlais

Williams (SNW)[31], ysgolhaig diwinyddol â'i wreiddiau'n ddwfn yn y traddodiad efengylaidd Cymraeg: ŵyr i'r bardd-bregethwr enwog Nantlais Williams y dylanwadodd Diwygiad 1904-5 yn drwm arno.

Mae'n cyfeirio yn y lle cyntaf at y traddodiad Cristnogol cryf bod modd cysoni rheswm a ffydd ac yn mynd ymlaen i awgrymu mai mewn hanes yn hytrach nag ym myd natur, sef gwrthrych sylw'r gwyddonydd, y mae pwrpas Duw yn ei amlygu'i hun. Enghraifft o hyn yw defnydd Efengyl Luc o dystiolaeth hanesyddol am fywyd Iesu i ddilysu'i ffydd.

Dyw SNW ddim am wrthod cywirdeb y disgrifiad gwyddonol o'r bydysawd nag o esblygiad dyn (er ei fod yn pwysleisio 'ansicrwydd ein theorïau (t 9)). I grefyddwyr 'y cwestiwn yw beth sydd wrth wraidd a beth sy'n cynnal pwerau naturiol', ac nid cwestiwn gwyddonol mo hynny. Mae hefyd yn cyflwyno cwestiwn 'achos cyntaf' pethau i'r drafodaeth gan nodi mai'r 'hyn sy'n anghredadwy i nifer o gredinwyr crefyddol yw bod unrhyw un yn coelio o ddifrif fod y byd wedi dod i fodolaeth heb "achos" personol'. Tra'n mynnu nad yw 'am asesu'r ddadl hon' mae'n tynnu ar osodiad un gwyddonydd 'bod "dechreuad diachos" yn broblem' (t 10).

Wrth drafod cwestiwn drygioni mae'n nodi bod y Beibl yn 'trin y drwg fel rhywbeth anesboniadwy' (t 11) ond yn awgrymu ar yr un pryd y gellid gweld difodiant y myrdd rhywogaethau i wneud lle i esblygiad homo sapiens fel arwydd o ba 'mor werthfawr yw dynoliaeth yng ngolwg Duw'. Mae hefyd i'w weld yn pwyso ar athrawiaeth y cwymp (t 13). Beth bynnag meddai, does dim modd esbonio pwrpas Duw ond yn nhermau'r berthynas rhyngddo a'r unigolyn a 'phwrpas eschatolegol Duw i'r byd sydd... heb eto ei gyflawni'. (t 14)

Mae yna gwestiynau ynghylch, er enghraifft, natur rhyddid, ymwybyddiaeth foesol a hunanymwybyddiaeth, sy'n 'ein cymryd ni ymhell y tu hwnt i'r hyn y gall gwyddoniaeth, fel gwyddoniaeth, ei esbonio.' (t 13)

O safbwynt crefydd 'yr hyn... sydd yn gwneud dynoliaeth yn ddynoliaeth... yw'r gallu i glywed gair Duw'. Eithr 'pen draw rhesymeg esblygiad naturiol heb Dduw trosgynnol yw anobaith' (t 15). Rhith, sentiment yn unig, felly yw hyder GWJ yng ngrym cariad fel rheol bywyd (t 13).

Yna, yng nghloi'i ysgrif, wele amheuaeth SNW yn brigo i'r wyneb: 'Os nad oes y fath Dduw i'w gael, rhaid derbyn hynny a byw gydag anobaith; efallai bod hynny, yn y pen draw, yn well na chysuro ein hunain gyda rhyw rith o grefydd. Wn i ddim' (t 16).

Yn ei ail ysgrif[32] mae GWJ yn gwrthod derbyn bod yna ffin rhwng Hanes a Gwyddoniaeth gan fod pwyslais yr ail ar dystiolaeth erbyn hyn wedi treiddio i ddull y cyntaf o weithredu, gan gynnwys astudiaethau Beiblaidd. Mae'n cyhuddo SNW hefyd, drwy'i fod yn cyfyngu ei ymchwil i bwrpas Duw i 'Hanes', o ddiystyru tystiolaeth oesoedd dirifedi holl hanes y Ddaear. Mae'n gwrthod yn go ffyrnig awgrym SNW y gellid gweld pwrpas Duw 'yn guddiedig mewn esblygiad', â'i ddull hollol ddideimlad o weithredu. Meddai, 'Gwell gen i fod yn "gynnyrch pŵer dall y cosmos" na "Duw" o'r math yna (t 820)'.

O ran sylfaen moesoldeb, mae'n well ganddo bwyso ar weledigaeth 'arweinwyr a phroffwydi mwyaf ein hil, gan gynnwys Iesu, yn ogystal â'm crebwyll personol' am hynny nag ar 'alluoedd arallfydol' (t 83).

Yn ei ysgrif nesaf[33] mae SNW yn cyhuddo GWJ o drin 'y cysyniad Cristnogol traddodiadol am Dduw fel rhyw fath o hypothesis gwyddonol i'w drafod ar ddull esboniad materol'. Mae'n tueddu i osgoi cwestiwn awdurdod hanesyddol yr efengylau drwy apelio at awdurdod ysgolheigion, heb fanylu ar eu casgliadau (t 262). Wrth ateb sylwadau GWJ ynghylch cysoni presenoldeb drygioni yn y byd â phwrpas Duw mae'n dadlau bod y Beibl wedi pwysleisio'r broblem hon ac nad yw '*gwyddoniaeth* yn ychwanegu dim at y broblem' (t 263).

Wedi cynnig rhestr o wyddonwyr sy'n credu bod modd cysoni ffydd a gwyddoniaeth, mae'n casglu serch hynny mai 'ein hymatebion dirfodol a gwaelodol' sy'n bennaf yn 'llywio ein hargyhoeddiadau ynglŷn â chrefydd' (t 263).

Ychwanegwyd dimensiwn newydd i'r drafodaeth drwy ysgrif Walford Gealy, diwinydd, athronydd, darlithydd, awdur a phregethwr, a oedd yn anelu, mae'n debyg, at gymodi safbwyntiau GWJ a SNW.[34] Ei awgrym e yw bod y ddau yn camddeall ei gilydd drwy fod eu dehongliadau o'r gair 'gwir' yn wahanol (t 107). I'r Cristion mae'n wir bod Duw yn bod am mai 'Duw yw ei fywyd'. Mae'n ei addoli ac yn gweddïo arno. 'Nid damcaniaethu y mae ond byw ei fywyd'. Pan ddatganodd y Cristion Kierkegaard 'Nid yw Duw yn bod', ei fwriad oedd cyferbynnu rhwng 'pethau sy'n dod i fod a darfod' a 'natur y dwyfol sy'n dragwyddol' (t 108). Er mwyn dangos bod yr hyn yw 'gwirionedd' yn amrywio yn ôl y cyd-destun mae'n adrodd yn gymeradwyol hanes mam a fynnodd barhau i gredu bod Duw wedi ymyrryd i achub bywyd ei phlentyn hyd yn oed wedi iddi gael esboniad gwrthrychol-ffeithiol o'r digwyddiad. Dyw Gealy ddim yn dweud pun a fyddai wedi cymeradwyo'r wraig am gredu bod bai ar Dduw am beidio ymyrryd petai'r plentyn wedi cael ei ladd ond mae'n mynnu na fyddai gan wyddonydd hawl i herio dilysrwydd adwaith y fam i'r cyd-ddigwyddiadau a achubodd ei phlentyn. (Yma mae'r awdur yn pwyso ar syniadau Ludwig Wittgenstein am iaith crefydd a iaith tystiolaeth empeiraidd, a chaiff y rheini, ynghyd â sylwadau Gealy arnyn-nhw, eu trafod ymhellach isod).

Dirwynwyd y drafodaeth i ben gydag ysgrifau cyfochrog

gan GWJ a SNW yn y rhifyn canlynol.[35] Ni dderbyniwyd mo olewydden, na rhesymeg, Walford Gealy.

Ymhlith y pwyntiau y mae GWJ yn eu gwneud i ddatblygu ei ddadl ymhellach mae'r canlynol:

(i) Annoeth yw adeiladu credo grefyddol ar resymeg sydd yn groes i'n dealltwriaeth gyfoes o'r bydysawd.

(ii) Tystiolaeth bellach ei bod yn amhosibl cysoni natur y byd â bodolaeth Duw daionus yw difodiant Dyn Neanderthal ryw 50,000 o flynyddau yn ôl yn y gystadleuaeth â homo sapiens sapiens

(iii) Pwrpas crefydd yw helpu dynoliaeth i ddygymod ag anawsterau bywyd ac i fyw'n 'fwy trugarog a deallus'

(iv) Mae mythau cyfoethog ein diwylliant crefyddol yn werthfawr yn hyn o beth ac o ymwrthod â nhw byddai Cymru ac Ewrop ar eu colled

(v) Dylai crefydd a gwyddoniaeth fod yn 'gyflenwol nid yn gwrth-ddweud ei gilydd'

Gwrthddadl i'r ffordd y mae Gealy wedi cymhwyso'i resymeg i'r ddadl arbennig yma yw rhan fawr o ysgrif derfynol SNW. Mae'r gair 'gwirionedd' mewn perthynas ag esblygiad yn golygu'r un peth yn iaith crefydd ag yn iaith gwyddoniaeth, meddai (t 178), a safbwynt Luc a Paul fel ei gilydd yw bod eu ffydd yn seiliedig ar ffeithiau hanesyddol (t 179). Bid a fo am hynny, mae Williams yn ailadrodd ei argyhoeddiad nad yw darganfyddiadau gwyddoniaeth yn 'tanseilio daliadau traddodiadol Cristnogol'.

4 Y Tystion

Rwyf am gloi'r bennod yma drwy ddisgrifio'r hyn a ddywedwyd wrthyf-i mewn cyfres o gyfweliadau a gynheliais gyda rhai o'm cydnabod. Dyma'r ffugenwau a roddais-i arnyn-nhw: Beuno, Edmund, Gwilym, Mair, Myfanwy, Owain, Sioned a Tom.

Serch eu bod yn fagad amrywiol iawn maen-nhw'n rhannu tir cyffredin, sef eu bod-nhw wedi'u trwytho'n gynnar mewn Cristnogaeth ac yn nes ymlaen naill ai wedi peidio â chredu yn Nuw neu wedi ailddiffinio eu dealltwriaeth ohono yn lled radical. Cafodd un ei fagu yn Anglicanwr o Sais, un arall yn Gatholig Cymraeg a chwech yn y capel. Yn eu plith mae yna dri sydd wedi cefnu'n llwyr ar gapel neu eglwys ac un sy'n weithgar gyda bywyd cymdeithasol y capel tra'n cadw draw o'r gwasanaethau. O'r pedwar sy'n parhau i fynychu 'moddion gras' mae dwy yn datgan nad ydyn-nhw'n derbyn bodolaeth Duw, un wedi gosod y cwestiwn o'r naill du fel un y tu hwnt i atebiad ac un sy'n arddel cred yn Nuw nid fel Bod personol ond fel presenoldeb y mae modd ei brofi drwy ras. Bu dau o'r wyth yn ymbaratoi ar gyfer y weinidogaeth/offeiriadaeth tan iddyn-nhw ymdeimlo â'u hanaddasrwydd a rhoi'r gorau i'r bwriad.

Serch y trwytho cynnar ym myd-olwg Cristnogaeth, mae cefndir rhai o'r tystion yn darlunio'r modd yr oedd crefydd eisoes wedi pasio anterth ei dylanwad yng nghyfnod eu magwraeth. Eithriad fyddai i rieni Sioned, nac yn wir ei mam-gu, fynychu gwasanaeth capel er enghraifft, er bod ei thad, gwyddonydd llwyddiannus, agnostig mae'n debyg, yn selog yn yr Ysgol Gân, a'i thad-cu yn gwrddwr ac yn athro Ysgol Sul. Roedd mam Edmund yn aelod ffyddlon o Eglwys Loegr, ond nid felly ei dad. Enwadaeth oedd yn cadw mam Gwilym o'r cwrdd ac yn llanc ifanc y dechreuodd yntau fynychu'r capel serch y gwreiddiau dwfn mewn anghydffurfiaeth a'r parch mawr at grefydd yn ei gartref; er hynny bu'n mynychu'r Ysgol Sul o'r cychwyn cyntaf. Roedd tad Tom, realydd o dueddfryd gwyddonol, gryn dipyn yn llai uniongred na'i fam, er yn ymdeimlo â rhyw ddimensiwn ysbrydol i fywyd. Ar y llaw arall magwyd Owain, Beuno, Mair a Myfanwy ar aelwydydd diamheuol grefyddol.

At ei gilydd mae'r tystion yma, yn enwedig yr anghydffurfwyr, yn gwerthfawrogi'n fawr y gynhysgaeth ysbrydol, foesegol, addysgol a diwylliannol a dderbynion-nhw, a'r Ysgol Sul yn arbennig iawn. Safodd sawl un arholiadau'r Ysgol Sul a soniodd Sioned am fynychu dosbarth Beiblaidd ar fore Sadwrn, a'r gweinidog yn defnyddio bwrdd du i gyflwyno'r gwersi. Rhoddodd hi bwyslais arbennig ar y cynnwrf y byddai'n ei gael wrth ganu rhai emynau ac at rym cyfareddol eu geiriau. Cyfeiriodd Myfanwy at y diwylliant cryf a chyfoethog a draddodwyd iddi drwy holl weithgareddau'r capel. Atgofion cynnes a chadarnhaol sy gan y mwyafrif, ac maen-nhw'n barod i ddatgan mai gwerthoedd crefydd eu magwraeth yw sylfaen eu moesoldeb hyd heddiw. Serch hynny roedd Mair yn ymdeimlo'n gynnar ag elfen o snobyddiaeth a rhagrith ymysg rhai o'r addolwyr amlycaf. Cof Gwilym yw nad oedd clod uwch na disgrifio rhywun fel 'Cristion' ond bod yn y gair 'duwiol' awgrym o ragrith a chulni.

Amau, Encilio, Cymrodeddu

Mae'r pryd y dechreuodd Cristnogaeth draddodiadol, yr oedd ei byd-olwg fel pe'n anochel yn eu profiad cynnar, ddechrau colli'i gafael yn amrywio rhwng y tystion.

Pan ddarllenodd Sioned bamffled Undodaidd yn 14 oed, dyma hi'n amenio'n syth y portread o Iesu, nid fel Duw-ddyn, ond fel dysgawdwr ac esiampl moesol. Os oedd yna Dduw hollalluog, ymresymodd, rhaid bod popeth oedd yn digwydd yn y byd wedi'i ragordeinio, a phan gollodd y syniad yna ei afael gyda hyn, fe gollodd ddiddordeb. Erbyn dyddiau coleg roedd-hi wedi cefnu.

Tan ei flaenlencyndod roedd Duw a'r Drindod yn realiti diamheuol i Beuno, a litwrgi'r offeren yn cadarnhau hynny o Sul i Sul. Erbyn cyrraedd ei 15 oed serch hynny roedd yn ei chael yn amhosibl cysoni cred mewn Duw daionus â'r drygioni oedd i'w weld yn y byd ac wedi dod i'r casgliad, drwy ddylanwad Bertrand Russell ac eraill, nad oedd angen Duw i esbonio'r bydysawd beth bynnag. Fynychodd-e erioed mo'r offeren pan oedd-e oddi cartref yn y brifysgol a chyn hir datganodd ei anffyddiaeth i'w rieni.

Agor gorwelion deallusol newydd yn nyddiau coleg aeth â Myfanwy dros y trothwy. Wrth astudio'r Ffrangeg daeth ar draws gwaith y dirfodwyr Camus a Sartre ac roedd Gwyddoniaeth yn cynnig esboniad amgen o'r Greadigaeth na chwedlau hyfryd Genesis. Byddai'n mynychu'r capel o bryd i'w gilydd a'i gael yn brofiad cysurlon, cynnes ond roedd bodolaeth Duw yn mynd yn gynyddol anghredadwy iddi. Roedd Duw dialgar rhannau o'r Hen Destament yn wrthun ac amhosibl oedd cysoni Duw daionus ag erchyllterau megis Auschwitz.

Chafodd Mair ddim addysg prifysgol ond yn gynnar roedd ganddi amheuon am wirionedd y credoau. A hithau wedi mynychu'r cyrddau a'r amrywiol weithgareddau'n ffyddlon, penodwyd-hi'n athrawes Ysgol Sul yn 16 oed a bu wrthi am bum mlynedd, wrth ei bodd yn adrodd y storïau Beiblaidd i'w disgyblion, ond welodd-hi erioed mo'r gwyrthiau a llawer o'r hanesion eraill fel gwirioneddau ffeithiol. Cafodd ei derbyn yn gyflawn aelod, priododd yn y capel a bedyddiwyd ei phlant yno ond cilio'n raddol fu ei hanes wedyn. Doedd-hi ddim yn credu yn Nuw. Serch hynny pan ddaeth galar teuluol poenus i'w rhan, fe deimlodd reidrwydd na allai-hi mo'i esbonio i fynychu'r cwrdd. Pan ymddeolodd o'i gwaith proffesiynol ymhen blynyddau lawer, nid adennill ei chred yn Nuw a'i harweiniodd yn ôl i'r capel ond y ffaith fod modd iddi wasanaethu cymdeithas drwy gyfrwng y gweithgareddau.

Sugnodd Owain o'r traddodiad anghydffurfiol Cymraeg ar ei gyfoethocaf. Erbyn cyfnod ei ieuenctid e, rhyddfrydiaeth ddiwinyddol pregethwyr megis Miall Edwards, John Morgan Jones a Vernon Lewis a'i pioedd-hi yn y pulpud Cymraeg ac atgyfnerthwyd y goleuo syniadol yma gan ei ymdrechion hunan-addysgol e a'i gyfoedion. Roedd grŵp o wŷr ifainc yn cynnal cylch darllen lle bydden-nhw'n trafod llyfrau Saesneg ar bynciau llosg y dydd. Daethpwyd yn ymwybodol o waith meddylwyr blaengar megis yr Huxleys, i ddeall rhywfaint am Wyddoniaeth ac am ddamcaniaethau Einstein. Trafodwyd atheistiaeth ac empeiriaeth a sylwyd ar y modd yr oedd technoleg yn gyrru datblygiadau'r oes. Tra roedd geirfa emynwyr mawr megis Ann Griffiths yn parhau i gynnig ffrâm ddiwylliannol, roedd hyder Owain yn ngeirwiredd athrawiaethau megis yr Ymgnawdoliad a'r Drindod yn gwegian.

Dwysawyd y cwestiynu yn nyddiau coleg wrth astudio gwaith David Hume a Bertrand Russell a phositifiaid megis Gilbert Ryle ac A. J. Ayer. Fodd bynnag, a sylfeini'i ffydd wedi'u tanseilio bron yn llwyr, cafodd oleuni newydd o gyfeiriad y cyfrinwyr, a ddysgodd iddo nad oes modd gwybod dim am Dduw, 'Ydwyf yr hwn Ydwyf' y berth yn llosgi, ond bod modd ymdeimlo â'i bresenoldeb drwy brofiadau a datguddiadau, drwy ras. Mewn cymhariaeth â chyfoeth felly, doedd gan bositifiaeth ddim oll i'w gynnig. Mae Owain yn un o arweinwyr cynulliad bychan sy'n cwrdd ar y Sul yn ei gapel lleol i fyfyrio'n ddistaw, i drafod ac i addoli.

Yn ei arddegau cynnar y dechreuodd Gwilym fynychu'r cwrdd. Clywodd beth pregethu o safon a sylwedd ac mae'n galw i gof heddiw y pwyslais cymdeithasol: ar gyfiawnder, radicaliaeth a heddychiaeth. Albert Schweitzer, Martin

Luther King a Ghandi oedd yr arwyr. Heddiw mae'n gweld arwyddocâd yn y ffaith mai peth prin oedd unrhyw ymresymiad diwinyddol eglur. Serch hynny Cristnogol oedd ei fyd-olwg a chadwodd i fynychu gwasanaethau a chyfarfodydd trafod crefydd yn nyddiau coleg – profiadau cofiadwy a chyfoethog yn fynych. Daeth tro ar fyd wrth i efengyliaeth ffwndamentalaidd sefydlu ac estyn ei gafael yn y byd Cymraeg. Bu yntau meddai yn chwenychu tröedigaeth ond ni ddaeth mo hynny ac o sylwi ar syniadau adweithiol rhai efengylwyr, cafodd lond bol ac ymddieithrio fwyfwy.

Wedi cychwyn ar ei yrfa broffesiynol bu'n mynychu capel ac eglwys gyda meddwl agored-ymchwilgar ond yn raddol, er ei hoffter o rai o'r gweinidogion, peidiodd gwasanaethau crefyddol â bod yn ystyrlon iddo. Darllen cyfrol gan ddiwinydd Cymraeg ar athrawiaeth y Cwymp fel esboniad o ddrygioni yn y byd a roddodd gap ar broses ei ymddieithriad. Erbyn hyn fydd-e byth yn mynychu man o addoliad ond dyw-e ddim serch hynny yn ei chael-hi'n anodd credu mewn Duw fel creawdwr daionus ac mae'n mynnu credu ym mhosibilrwydd creu gwell byd.

Daeth Edmund yntau yn laslanc o dan ddylanwad mudiad efengylaidd oddi fewn i Eglwys Loegr, gan gymryd rhan mewn amrywiol weithgareddau cymdeithasol a chrefyddol. Roedd-e dan bwysau i brofi tröedigaeth ond er mynd ohono drwy'r mosiwns mae'n cydnabod heddiw mai ffugio roedd-e. Daeth o dan bwysau efengylwyr eilwaith yn y lluoedd arfog ond roedd gofynion crefydd efengylaidd yn gyfryw ag iddo gefnu am gyfnod ac ymollwng i fywyd go hedonaidd. Cael ei ddenu nôl i fywyd yr eglwys a fu ei hanes yn ystod ei yrfa Brifysgol a than ddylanwad y caplan, dechreuodd ymbaratoi i'r offeiriadaeth. Wedi rhoi heibio'r bwriad hwnnw bu'n athro ysgol ac arweiniodd amgylchiadau personol e i Gymru, at y Gymraeg ac at anghydffurfiaeth – er ei fod yn parhau i fynychu gwasanaethau Cymraeg yr eglwys Anglicanaidd. Dyw Edmund erioed wedi cefnu ar grefydd ond mae'n cydnabod, er gwaethaf ei ymdrechion taer, na dderbyniodd erioed arwydd synhwyrol o bresenoldeb Duw. Wyddon-ni ddim a yw Duw yn bod meddai, ond bu Iesu Grist fyw ac mae'n parhau'n batrwm ac yn esiampl ryfeddol heddiw. Iddo fe y cwestiwn pwysig yw, nid a yw crefydd yn wir neu beidio, ond a yw hi'n gweithio – a'r ateb i hynny yw ei bod-hi.

Ar gwestiwn presenoldeb drygioni a dioddefaint yn y byd mae Edmund am ddweud dau beth. Yn gyntaf, rhaid derbyn bod dwy wedd i'r bydysawd, y dinistriol a'r adeiladol, ac mai'n dyletswydd ni yw hyrwyddo'r adeiladol. Yn ail, ac yn fwy angerddol, bod Cariad ymhlyg yng ngwneuthuriad atomig y bydysawd, ac mai'n gwaith ni yw rhyddhau'r cariad hwnnw, ei roi ar waith.

Wrth edrych yn ôl mae Tom yn rhyw amau mai ansicr fu ei gred grefyddol o'r cychwyn cyntaf. Mae'n teimlo iddo elwa ar ei brofiadau yn yr Ysgol Sul ond roedd yn anghysurus yn y gwasanaethau, ddwywaith y Sul, ac yn casáu cymryd rhan yn gyhoeddus. Glynodd ei fam, a oedd yn hanu o ardal lle'r oedd y capel yn ganolbwynt cymdeithas, yn dynn wrth Gristnogaeth gydol ei dyddiau er iddi ar un adeg gyffesu iddi golli'i chred mewn bywyd ar ôl marwolaeth. Un o'r cymoedd glofaol oedd ei dad, capelwr, ond â'i bwyslais ar gyfiawnder cymdeithasol yn fwy na chredo grefyddol, er ei fod yn cydnabod bod yna ddimensiwn ysbrydol ac y gallai gweddi fod yn effeithiol. Yn un o gapeli Cymraeg Llundain y cwrddodd rhieni Tom.

Serch ei amheuon cynnar bu'n aelod gweithgar o gapel yn nhref ei fabwysiad gydol ei oes, gan redeg cymdeithas ieuenctid wythnosol. Mae'n mawrygu'r lles a gafodd ei blant drwy fynychu'r Ysgol Sul a chymryd rhan yn y gwasanaethau. Mae'n derbyn bod Iesu Grist yn batrwm o iawn ymddygiad a'r bywyd rhinweddol. Mae'n cydnabod gwerth y capel yn gyfrwng i drosglwyddo gwerthoedd moesol i'r to sy'n codi ac yn pwslo a oes yna fodd amgen o wneud hynny. Gwnaeth y ffaith i'w fab fynnu cael priodas grefyddol er bod ei ddarpar dad-yng-nghyfraith yn anffyddiwr argraff arno.

Fodd bynnag parodd cyrraedd oedran ymddeol (a oedd yn cyd-ddigwydd ag ymadawiad gweinidog yr oedd yn ei barchu'n fawr) iddo chwilio'i galon a'i gymhellion. Cafodd yr hyder i ymholi'n onest, pam ei fod yn mynychu lle o addoliad. Gan nad oedd yn credu yn Nuw (heblaw efallai fel rhyw fath o Rym cychwynnol i'r bydysawd) a chan gymryd mai bodolaeth Duw oedd craidd y mater, fe benderfynodd gefnu: rhagrith ar ei ran fuasai parhau. Mewn digwyddiad cymdeithasol holodd un o aelodau'r capel iddo pam roedd-e wedi cefnu a phwyso arno i ddychwelyd. Esboniodd yntau a chafodd ei synnu gan ei hymateb: doedd hithau chwaith ddim yn credu yn Nuw ond ei bod hi'n glynu wrth y capel oherwydd y cyfoeth cymdeithasol roedd hi'n ei gael yno.

Mae Tom wedi rhoi cynnig ar wasanaeth Crynwyr ac yn parchu'u symlrwydd diymffrost ond heb ddal ati. Dyw-e ddim yn debyg o ddychwelyd i'r capel. Fodd bynnag mae'n teimlo'n anniddig. Er enghraifft, a yw cyfoeth aruthrol y gerddoriaeth eglwysig y mae-e mor hoff ohoni wedi'i seilio ar anwiredd?

Dychwelyd

O blith yr wyth tyst, gellid dweud am dair mai dychwelyd i'r capel yn dilyn cyfnod o ymddieithriad a wnaethon-nhw. Mae pob un o'r tair yn datgan yn gwbl ddiamwys nad ydyn-nhw'n credu yn Nuw. Ailymunodd Myfanwy â bywyd diwylliannol-gymdeithasol y capel wedi iddi ddychwelyd i ardal ei magwraeth, yn rhannol o barch a gwerthfawrogiad i'w rhieni a hoffter o aelodau'r gynulleidfa. Mae'n cael blas ar y gweithgareddau ond yn cadw draw o'r gwasanaeth crefyddol sydd, meddai, yn fwy nag y gall-hi'i ddioddef. Trodd Mair nôl at y capel wedi ymddeol o'i swydd am ei bod yn teimlo'r awydd i wasanaethu cymdeithas a bod y capel yn gyfrwng addas i hynny. Setlo mewn ardal newydd a magu teulu oedd yr ysgogiad i Sioned ymdaflu o'r newydd i fywyd y capel, ac roedd gofynion athrawiaethol minimal Undodiaeth yn gymorth yn hyn. Dros flynyddau lawer bu'n rhedeg yr Ysgol Sul i blant ac ieuenctid, gan roi pwyslais arbennig ar ryfeddod ein bywyd daearol a dyfeisio defodau arbennig i fynegi hynny. Byddai'n ymwadu ag unrhyw son am y goruwchnaturiol, weithiau yn wyneb syniadau mwy 'uniongred' y byddai'r plant wedi eu codi yn yr ysgol ddyddiol. Mae clywed pobl, gan gynnwys pregethwyr, yn siarad am Dduw fel realiti personol yn dân ar ei chroen braidd, ond yn rhyfedd iawn mae-hi bob amser yn ymateb yn amddiffynnol yn wyneb ymosodiadau ar 'bobl crefydd'. Fe welodd hithau enghreifftiau ddigon o Gristnogaeth 'yn gweithio' ym mywydau pobl a enynnodd ei pharch.

Fe'i cafodd Beuno ei hun yn ôl ar gyrion byd crefydd gan fod teulu ei wraig yn gapelwyr cryf. Cafodd ei blant eu bedyddio ac maen-nhw'n mynychu'r Ysgol Sul; bydd yntau felly'n mynychu ambell i gwrdd plant. Leihaodd hyn oll fodd bynnag ddim mymryn ar ei ymddieithriad personol oddi wrth grefydd er iddo sylwi ar y cysur a brofodd aelodau o'i deulu ar adeg o alar difrifol.

Rhai Themâu

Ynghylch y berthynas rhwng crefydd a moesoldeb mae agweddau'r tystion yn amrywio. Mae'r mwyafrif yn parchu'r gynhysgaeth foesol a dderbynion nhw drwy

gyfrwng Ysgol Sul ac addoliad. I Edmund, pwrpas addoliad
yw rhyddhau'r cariad sy'n rhan o wneuthuriad y cread a'i
roi ar waith. Ar y llaw arall mae Beuno yn mynnu bod
moeseg, mynegiant o empathi dyn, yn gwbl annibynnol ar
grefydd – yn wir gall crefydd yn fynych, yn ffwndamen-
taliaeth Gristnogol America er enghraifft, hyrwyddo
anfoesoldeb. O natur dyn ar ei orau, yn ôl Myfanwy, y mae
moesoldeb yn tarddu a dyna fyddai safbwynt nifer o'r
tystion eraill. Dyw hynny ddim yn gyfystyr wrth gwrs â
gwadu y gall ymarfer crefydd hyrwyddo moesoldeb ac
ymddygiad cariadus ac roedd rhai yn bryderus y gallai
colli'r ymarfer wanhau gwerthoedd moesol.

I fwyafrif y tystion ystyr 'peidio credu' yw peidio derbyn
bodolaeth Bod goruwchnaturiol. Peidio credu yn yr ystyr
yna a barodd i nifer gefnu, tra bod eraill yn parhau i
fynychu er gwaetha'r ffaith eu bod-nhw 'ddim yn credu'. Er
yn ymwrthod â'r goruwchnaturiol roedd rhai yn gweld
pwysigrwydd meithrin ymdeimlad o ddirgelwch,
rhyfeddod a myfyrdod ysbrydol ac roedd a wnelo hynny
rywfaint â'r awydd i fynychu lle o addoliad.

Serch amwysedd rhai ac ymwrthodiad eraill â'r syniad o
Dduw, roedd yna dderbyniad go gyffredinol o Iesu Grist fel
esiampl ac o'i ddysgeidiaeth fel rheol bywyd. Yn drawiadol
iawn, dywedodd Myfanwy ei bod hi'n gweld 'dicotomi'
rhwng Duw a Iesu Grist. Roedd yr 'efengyl gymdeithasol'
yn uchel ei pharch ymysg y tystion.

Does dim modd dadlau bod y sampl bach yma o dystion
yn ystadegol gynrychioliadol ond mae'n bosibl bod eu
hagweddau yn adlewyrchu safbwynt nifer arwyddocäol o
aelodau capeli ac eglwysi Cymru heddiw. Wrth wrando
arnyn yn disgrifio'u meddyliau a'u teimladau, ces-i fy nharo
gan eu deallusrwydd, eu diffuantrwydd, a'u hintégriti.

Nodiadau

1   David Jenkins, *Thomas Gwynn Jones*, Gwasg Gee 1973, t 37
2   ibid tt 258, 328
3   ibid t 317
4   gweler ibid tt 317-321
5   ibid t 235-6
6   [cyfeiriad]
7   E. Tegla Davies, *Gyda'r Blynyddoedd*, Hughes a'i Fab Lerpwl, 1952 tt 163-4
8   Mae'r tair cerdd i'w cael yn T. Gwynn Jones, *Caniadau*, Hughes a'i Fab Wrecsam 1934
9   Dlêd = dyletswydd; eisiwed = eisiau
10   Y Bywgraffadur Ar-Lein
11   E. Tegla Davies, *Gyda'r Blynyddoedd*, Gwasg y Brython 1952 trydydd argraffiad t 36-7
12   ibid t 82, 93-4
13   ibid tt 137-40, 143-4
14   ee *Gyda'r Blynyddoedd* tt 190-2; Gyda'r Hwyr, Gwasg y Brython 1957, t 47
15   *Gyda'r Blynyddoedd* tt 69-70
16   E. Tegla Davies, *Gŵr Pen y Bryn* Hughes a'i Fab Wrecsam 1923. Cafwyd argraffiad newydd yn 1955 a chyfieithad Saesneg
17   *Gŵr Pen y Bryn*, pennod XII
18   gw. *Gyda'r Blynyddoedd* tt 205-6; *Gŵr Pen y Bryn* tt 187-9
19   *Gyda'r Hwyr* t 32
20   ibid 56-60
21   *Gyda'r Blynyddoedd* t 168
22   ibid t 189
23   ibid t 195
24   *Gyda'r Hwyr* tt 200-1.
25   T. Rowland Hughes, *Chwalfa*, Gwasg Gomer, argraffiad 1979, tt 242
26   T. Rowland Hughes, *William Jones*, Gwasg Gomer argraffiad 1974
27   T. Rowland Hughes, *Y Cychwyn*, Gwasg Gomer 1947

[28] J. R. Jones, *Ac Onide, Ymdiriniaeth mewn ysgrif a phregeth ar argyfwng y Gymru gyfoes*, Llyfrau'r Dryw, 1970

[29] Emyn 76 yn *Caneuon Ffydd*

[30] 'Tswnamis bach a mawr' *Y Traethodydd*, Ionawr 2008

[31] ' "Tonnau deallusol": tswnamis mawr y meddwl', *Y Traethodydd*, Ionawr 2009

[32] 'Y Dyrchafol heb y Dyrchafael – neu Wedi'r Duw Abrahamaidd' *Y Traethodydd*, Ebrill 2010

[33] 'Tonnau a tswnamis eto' yn *Y Traethodydd*, Hydref 2010

[34] 'Gareth a Stephen, fy nghyfeillion annwyl' yn *Y Traethodydd*, Ebrill 2011

[35] 'Cytundeb annisgwyl ond gwahaniaethau barn' *Y Traethodydd*, Gorff 2011

Pennod 2

Dadlau am Dduw: Ddoe

Mae hen, hen hanes y tu ôl i'r math o amheuon dwfn y cyfeiriwyd atyn-nhw ym Mhennod 1 ac a fu'n rhan fawr o'r rheswm dros ddirywiad enbyd Cristnogaeth yng Nghymru'r ugeinfed ganrif. Bydd y drafodaeth dra symleiddiedig a ganlyn yn dibynnu'n drwm ar nifer o astudiaethau a sbardunwyd gan y sialens sylfaenol gyfoes i safle crefydd yn ein gwareiddiad gorllewinol ni.[1, 2, 3]

Hyd at y chwyldro gwyddonol modern mae'n deg i ddweud na welwyd unrhyw ddadl o ddifrif ynghylch bodolaeth Duw. Testun y trafod yn hytrach, ers i Undduwiaeth ennill yr oruchafiaeth yng nghrefyddau'r dwyrain canol a'r gorllewin, o tua'r 6ed ganrif CC yn achos Iddewiaeth,[4] fu natur yr un Duw hwnnw. Ys dywed Karen Armstrong, 'Dim ond un ymysg y nifer fawr o ddiwinyddiaethau a ddatblygodd dros dair mil o flynyddau hanes undduwiaeth yw'r Duw modern'.[5]

Pa Fath o Dduw?

Rwyf am fentro cynnig dau gategori bras iawn i'r drafodaeth yna: ar y naill law, y Duw pellennig nad yw'n ymyrryd ym mhethau'r byd hwn; ac ar y llaw arall, y Duw sydd i ryw raddau beth bynnag yn ymwneud â'i fyd ac yn llywio hanes.

I'r athronydd Groegaidd Aristoteles bodolaeth bur oedd Duw, yn ddisymud mewn moment dragwyddol o syllu arno'i hun, gwrthrych uchaf gwybodaeth. Datblygodd ei athro, Platon, yntau'n ddisgybl i Socrates, gysyniad y ffurfiau delfrydol tragwyddol nad oedd pethau'r ddaear yn ddim ond cysgodion ohonyn-nhw. Ymhlith y rheini yr uchaf oedd ffurf Daioni, a oedd yn dragwyddol ddigyfnewid – fersiwn o Dduw, gellid dadlau.[6]

Cafodd athronwyr Gwlad Groeg ddylanwad pellgyrhaeddol ar lawer o ddiwinyddion Cristnogol ac Islamaidd. Roedd y meddyliwr Islamaidd Ibn Sina er enghraifft yn dal na allai Duw, er Ei fod yn ymwybod â phopeth a darddodd oddi wrtho, ei lychwino'i hun â manion pitw bywyd ar y ddaear. Dim ond mewn termau cyffredinol y mae Duw yn gwybod am ein byd ni, ac amdanon ninnau yn ein tro: dyw-E ddim yn delio â'r penodol .[7]

I'r ail gategori y mae Duw prif ffrwd y traddodiad Iddewig-Gristnogol a'i berthynas agos, Islam, yn perthyn, ond mae natur y Duw hwnnw, ac felly natur ei ymyriad mewn hanes, yn aml yn gwbl wrthgyferbyniol.[8]

Duw eiddigus a dialgar, sydd, er yn caru ei bobl, plant Israel, yn mynnu ufudd-dod, yw Arglwydd y Lluoedd llyfrau Joshua, y Barnwyr a Samuel. Mae'n annog ei bobl i lwyr-ddinistrio'u gelynion er mwyn meddiannu'r tiroedd y mae E wedi'u rhoi iddyn-nhw ac yn cosbi'n ddidrugaredd y sawl sy'n mentro anufuddhau iddo, megis y Brenin Saul. Barn Karen Armstrong yw mai'r 'Dewtoronomiaid' oedd awduron y llyfrau hyn, a hwythau'n datblygu'u syniadaeth at wasanaeth Josïa, brenin treisgar teyrnas Jwda a goncrodd deyrnas y gogledd, Israel, gan ladd ei hoffeiriadon a gorfodi unffurfiaeth credo a defodaeth ar ei ddeiliaid.

Lladdwyd Josïa yntau gan yr Asyriaid a chaethgludwyd elît y genedl i Fabilon. Yn yr amgylchiadau gwahanol hyn y datblygwyd gweledigaeth gyferbyniol o Dduw, ac etheg newydd i gyfateb iddi. Rhaid i brofiad plant Israel o boen ac erledigaeth droi'n fodd i werthfawrogi dioddefaint eraill ac i drin dieithriaid â 'chariad', drwy gynnig gofal a chymorth ymarferol. Ymhlith ysgrifeniadau'r cyfnod hwn y mae dysgeidiaeth enwog y Gwas Dioddefus yn ymddangos. Yma mae'r pwyslais ar sefydlu cyfiawnder drwy ymgyrch ddi-drais, drugarog, ddioddefus. Fe ddaw'r Gwas hwn yn oleuni i oleuo'r cenhedloedd, nid dim ond i blant Israel.[9]

Y weledigaeth olaf yma wrth gwrs a fabwysiadwyd gan Iesu Grist a thrwy hynny gan yr Eglwys Gristnogol, a ddehonglodd ei fywyd yn nhermau ymyriad dwyfol unigryw mewn hanes er mwyn sefydlu Teyrnas Nefoedd ar y ddaear. Cafodd Cristnogaeth dro ar ôl tro, dyn a'i gŵyr, ei llygru gan ysfa i ormesu a threisio a gorfodi unffurfiaeth credo, yn fynych o dan ddylanwad syniadaeth llyfrau Joshua, y Barnwyr a Samuel, ond drwy'r cwbl fe oroesodd etheg y gwas dioddefus yng nghraidd ei neges. Gwelwyd llygru tebyg ar Islam, er gwaetha'r ffaith mai graslonrwydd a thrugaredd Duw yw carreg sylfaen y ffydd honno, fel sy i'w weld yn adnod agoriadol y Qu'ran: 'Yn enw Allah, y mwyaf Grasol a Thrugarog'.

Drwy'r canrifoedd parhaodd y drafodaeth ddeallusol, ysgolheigaidd am natur y Duwdod, heb mewn difrif amau'i fodolaeth. Ys dywed Karen Armstrong, 'Rhaid i bob cenhedlaeth greu ei chysyniad dychmygus ei hun o Dduw'.[10] Meddai Vivian Jones 'Cynigia'r Beibl amrywiaeth o syniadau a delweddau o Dduw' ac yna, 'Mae cymeriad y Duw y rhown ein ffydd ynddo'n llunio'n cymeriad ni yn unigolion ac fel pobl Dduw'.[11] Mae awgrym yn y dyfyniadau yma mai cynnyrch meddwl a dychymyg dyn yn hytrach na realiti gwrthrychol yw Duw, ond gwell gadael y cwestiwn yna am y tro.

Gyda chwyldroadau'r cyfnod modern, y Dadeni Dysg, Y Diwygiad Protestanaidd, ecsblorasiwn daearyddol, y wasg argraffu a lledaeniad addysg, ac yn arbennig y chwyldro gwyddonol, daeth tro ar fyd. Dechreuwyd defnyddio'r gair 'atheist' ac yn raddol daeth 'A oes yna Dduw?' yn gwestiwn byw a chredadwy.

Profi bod Duw

Term difrïol, parddu cyfleus, addas ar gyfer collfarnu unrhywun a oedd yn fodlon herio syniadau traddodiadol a chyfarwydd, unrhyw wrthwynebydd syniadol, neu'n wir unrhywun yr oedd ei fuchedd yn drythyll neu'n ymdrybaeddlyd, oedd 'atheist' yn y lle cyntaf.[12] Fodd bynnag roedd defnyddio'r gair yn adlewyrchu pryder go ddwfn ynghylch effaith berw syniadol a chymdeithasol y cyfnod.

Roedd darganfyddiad Galileo mai'r haul, nid ein daear ni, oedd canolbwynt ein system solar, nad oedd yn ei thro yn ddim ond rhan fach o fydysawd anferth, wedi sigo awdurdod y Babaeth. Roedd her ddiwinyddol y Diwygwyr wedi chwalu undod Gwledydd Cred, gan esgor ar ryfeloedd 'crefyddol' rhyngwladol a chartrefol.

Ochr yn ochr â hyn roedd syniadau chwyldroadol am ryddid, democratiaeth, tegwch a chydraddoldeb yn herio trefn gyfarwydd cymdeithas a safle breiniol yr uchelwriaeth. I lawer daeth Cristnogaeth, rhan annatod o fyd-olwg a gwead cymdeithasol y cyfnod, yn gyfystyr â cheidwadaeth, rhagorfraint a gormes. O'r safbwynt cyferbyniol, roedd unrhyw her i'r drefn yn bygwth sefydlogrwydd cymdeithas: anrhefn fyddai'r canlyniad. A heb grefydd pa sylfaen allai fod i foesoldeb? Y math yma o bryderon sy'n esbonio'r erlid, anynad ar adegau, ar y sawl a oedd yn mentro amau'r doethineb confensiynol.

Yn y cyd-destun yma, yn ôl Nick Spencer, 'mewn termau cymdeithasol a gwleidyddol' y mae deall atheistiaeth orau.[13]

Yn y lle cyntaf yn sicr doedd dim gwrthdaro i'w weld rhwng gwyddoniaeth a chrefydd. Pan sefydlwyd Y Gymdeithas Frenhinol i drefnu ymchwil gwyddonol arbrofol a mathemategol roedd ei Siarter (1663) yn datgan y byddai'i gweithgareddau i'w cysegru 'i ogononiant Duw'r Creawdwr'. Roedd Robert Boyle, un o'r sylfaenwyr, yn argyhoeddedig y byddai'r 'athroniaeth newydd' yn 'darparu i ni arfau newydd er amddiffyn ein Credo tra hynafol' ac ymhlith y darlithiau cyntaf cafwyd 'Ffysigo-Ddiwinyddiaeth, neu Ddangosiad o Fodolaeth a Phriodoleddau Duw drwy Weithredoedd ei Greadigaeth'. Dyma enghraifft gynnar o 'ddiwinyddiaeth natur'.[14]

Ac wele Isaac Newton, ffigwr cwbl allweddol yn hanes gwyddoniaeth a gŵr dwys o grefyddol, yn camu i'r llwyfan. Wrth baratoi ei *Principia*, a sefydlodd ddeddfau symudiad a disgyrchiant, rhan o'i fwriad meddai oedd rhoi rheswm dros 'gredu mewn Duwdod, a does dim a allai beri mwy o lawenydd i fi na'i fod yn ddefnyddiol i'r pwrpas yna'.[15] Er hynny byddai rhai o'i syniadau yn arwain at shifft sylfaenol a fyddai'n cael effaith bellgyrhaeddol maes o law ar ddisgwrs crefyddol.

Rheswm, nid datguddiad, a oedd wedi'i arwain i gredu ei fod wedi profi bodolaeth Duw, yr achos cyntaf yr oedd yn rhaid wrtho er mwyn esbonio'r bydysawd a deddfau'i weithrediad. Roedd-e'n hallt ei feirniadaeth ar elfennau 'ofergoelus' Cristnogaeth, megis gwyrthiau ac athrawiaethau'r Ymgnawdoliad a'r Drindod.[16] Yn ôl un awdur Duw braidd yn 'llwydaidd' oedd hwn, 'yn clwydo ar ymyl ffrâm natur, yn gysurus yn ei rôl fel creawdwr, ond yn ddiangen braidd fel Tad, Mab ac Ysbryd Glân'.[17]

Dehongliad Newton a'i gyd-wyddonwyr, yn ôl Karen Armstrong, a barodd i grefyddwyr ddechrau am y tro cyntaf geisio cyfiawnhau cred yn Nuw yn ôl safonau gwyddoniaeth. O hyn ymlaen, *logos*, a'i bwyslais ar reswm a thystiolaeth, a'i piau-hi yn hytrach na *mythos* a'i bwyslais ar ddatguddiad, dychymyg creadigol a sythwelediad.[18]

Yn y cyfamser, wrth i'r ffisegydd-fathemategydd Newton fwrw ymlaen â'i waith, roedd darganfyddiadau naturiaethwyr a hynafiaethwyr yn dod o hyd i dystiolaeth, yn cynnwys ffosiliau, a oedd yn dechrau tanseilio'r ddealltwriaeth gyfarwydd o'r creu.[19] Byddai'r dechreuadau hyn yn cyrraedd eu penllanw daeargrynfaol ddwy ganrif yn ddiweddarach yn syniadaeth Darwin a Wallace.

Crefydd a'r Wladwriaeth

Erbyn y 18fed ganrif a'r Goleuo roedd y tueddiad tuag at atheistiaeth yn magu stêm, yn enwedig yn Ffrainc, lle'r oedd y cyd-ymglymiad rhwng crefydd a'r *status quo* gwleidyddol yn ormesol. Mae'n wir bod rhai o ffigyrau amlycaf y Goleuo, megis Voltaire (1694-1778) a Rousseau (1712-78), yn credu ym modolaeth Bod Goruchaf o ryw fath ond roedd eraill yn fwy dilornus o'r hanner.

Peryglus oedd cwestiynu, heb son am herio, uniongrededd Cristnogol, a'r awdurdodau yn arteithio a dienyddio er mwyn mygu'r cyfryw ymddygiad.[20] Yn danddaearol felly y byddai llawer o'r tecstiau tanseiliol yn cael eu cyhoeddi. Ar ôl ei farw y daeth *Memoire* yr offeiriad Catholig Jean Meslier (1664-1729) i'r fei. 'Camddeall, cam-drin, rhith, twyll a brad' meddai Meslier, oedd popeth perthnasol i gredu mewn duwiau: yr offeiriadon yn dychryn eu preiddiau drwy fygwth damnedigaeth dragwyddol, y tywysogion yn mynnu trefn grefyddol er mwyn diogelu'u safle a'u hincwm, a'r werin bobl yn cael eu gwasgu'n ddidrugaredd.[21]

Cafodd polemig Meslier gryn ddylanwad, ymysg eraill ar Denis Diderot (1713-84), cydolygydd yr *Encyclopedie*[22], aelod o salon enwog y Barwn d'Olbach (c 1713-89), yntau'n atheist a ddenodd oriel lachar o ddeallusion radical Ffrainc a gwledydd eraill i gylch ei ddylanwad. O tua 1760 ymlaen, mewn cyfres gyfrinachol o ysgrifeniadau, ymosododd d'Olbach yn ffyrnig ar grefydd a'i holl weithredoedd. Ofergoeliaeth ac anwybodaeth oedd ei gwraidd, math o ddallineb croes-i-reswm, a'i heffaith oedd hurtio pobl. Crefftwr taeog ond twyllwr medrus oedd Iesu Grist. Gyda'i gilydd aeth d'Olbach ac aelodau'i salon ati i 'drafod syniadau newydd, dad-ddwyfoli'r natur ddynol ac etheg, gwatwar Cristnogaeth, lambastio rhagrith eglwysig', tra'n mwynhau hefyd 'bleserau'r gwely a'r ford'.[23]

Ymwelydd tramor â salon d'Olbach oedd David Hume (1711-76), un o arweinyddion y Goleuo Albanaidd, 'arwr cyntaf atheistiaeth Brydeinig' yn ôl Spencer. Er iddo gael ei fagu mewn cartref Cristnogol defosiynol, fe ddaeth yn elyniaethus i'r Eglwys fel sefydliad. Yn arbennig roedd yn gas ganddo'r frwdaniaeth efengylaidd a welodd ym Mharis a Phrydain fel ei gilydd – y ffenomen a gymrodd ffurf Gymreig yn ein Diwygiad Methodistaidd ni. Dioddefodd yn yrfaol oherwydd ei ddaliadau anuniongred a gohiriwyd cyhoeddi ei *Ddïalogau ynghylch Crefydd Natur* tan ar ôl ei farw. Amwysedd ynghylch cwestiwn bodolaeth Duw yw un o nodweddion y *Dïalogau* hynny.

Yn ôl d'Olbach atheistiaeth oedd yr allwedd i greu cymdeithas dda lle gallai daioni naturiol dyn ffynnu. Er mwyn cael llywodraethu da, gan anelu at ddod â hapusrwydd i'r lliaws, rhaid trechu gormes ac unbennaeth. Byddai syniadau o'r math yna yn bwydo i mewn maes o law i ferw'r Chwyldro Ffrengig – er nad oedd d'Olbach ei hun yn bleidiol i ddemocratiaeth.[24]

Pan ddaeth y Chwyldro hwnnw fodd bynnag roedd cwlt y Bod Goruchaf yn elfen o bwys yn syniadaeth arweinyddion megis Robespierre.[25]

Nid dyna fu diwedd y gân yn Rwsia lle'r aeth atheistiaeth yn y diwedd benben â chrefydd gyfundrefnol. Ddechrau'r 19fed ganrif 'roedd y wladwriaeth yn gwarchod Uniongrededd a dim ond Uniongrededd allai ddiogelu'r wladwriaeth'. Roedd y deddfau yn erbyn cabledd a heresi yn nodedig o lym.[26] Ymateb y Tsar Nicholas i chwyldroadau traws-Ewropeaidd 1848 oedd tynhau sensoriaeth, dinoethi cynllwynion a dienyddio'r cynllwynwyr neu eu halltudio i lafur caled yn Siberia.

Adweithiodd nifer o ddeallusion, rai ohonyn-nhw'n efrydwyr diwinyddol a oedd wedi profi argyfwng ffydd ar ôl darllen *Hanfod Cristnogaeth* yr atheist Ludwig Feuerbach (cyfieithwyd ei waith i'r Saesneg gan y nofelydd o dras Cymreig, George Eliot). Yn wyneb erledigaeth giaidd datblygodd y to ifanc yma syniadaeth atheistaidd a 'addasodd ac a ail-luniodd ddelfrydau Cristnogaeth i ddibenion materolaidd a sosialaidd'. Dylanwadodd y syniadaeth yna yn ei dro ar Lenin.[27] 'Mochyndra anrhaethol...haint gywilyddus' oedd crefydd iddo fe ac wedi i'r Bolsheficiaid gipio grym mabwysiadwyd atheistiaeth yn rhan o ideoleg gwladwriaeth Gomiwnyddol yr Undeb Sofietaidd newydd.[28]

Dylanwad mwy o lawer ar Lenin ac felly ar y chwyldro oedd Karl Marx, etifedd i linach hir o rabiniaid Iddewig. Roedd e wedi cefnu ar grefydd yn lled gynnar, gan fabwysiadu materoliaeth yn sylfaen ei athroniaeth gymdeithasol-economaidd-wleidyddol. Meddai, 'Rhaid dileu crefydd, sef ffug-hapusrwydd y bobl, er mwyn sicrhau eu gwir hapusrwydd'.[29]

Yn yr Undeb Sofietaidd tro Cristnogion oedd-hi nawr i ddioddef erledigaeth a chamwahaniaethu ar law'r awdurdodau. Defnyddiwyd gwahanol ddulliau o ymosod ar grefydd ar wahanol adegau, yn eu mysg lladd offeiriadon, atafaelu eiddo a chau eglwysi, gwahardd addysg grefyddol, a phropaganda gwrthglerigol. Erbyn 1940 ychydig gannoedd o eglwysi oedd yn weddill o'r 54,000 oedd yn bod ar drothwy'r chwyldro.[30] Bu rhaid i Stalin gytuno telerau ag arweinwyr yr Eglwys Uniongred i gael eu bendith i ymgyrch yr Undeb Sofietau yn yr Ail Ryfel Byd ond ar ôl ei ddydd e, adfywiodd Kruschev a'i olynwyr yr ymgyrch wrth-grefyddol.[31]

Erbyn ail hanner y ganrif roedd nifer o wladwriaethau eraill yn swyddogol atheistaidd, yn arbennig Tseina Mao Zedong, lle roedd agos i hanner poblogaeth y byd, ac am y ffin â hi Ogledd Corea a Fiet-nam. Felly hefyd 'loerennau' yr Undeb Sofietaidd yn Nwyrain Ewrop. Dyma wrth gwrs gefndir drama y Cristion Catholig Saunders Lewis, *Gymerwch chi Sigarét*.

Chwyldro Darwiniaeth: Ymateb ac Adwaith

Gadewch i ni fynd yn ôl nawr i ganol yr 19fed ganrif a'r ddaeargryn ddiwinyddol a achoswyd drwy gyhoeddi *Origin of Species* Charles Darwin, y cam allweddol nesaf yn y chwyldro gwyddonol. Fe drodd damcaniaeth esblygiad y stori Gristnogol gyfarwydd wyneb i waered. Yn hytrach na bod dyn wedi syrthio i bechod o'r perffeithrwydd yr oedd Duw wedi'i greu ar ei gyfer, dringo'n raddol i lefelau uwch o ddeall ac o ymwybod moesol yr oedd-e. Esboniad biolegol oedd i 'bechod' felly. Nid yn unig hynny ond wele'r ddadl bod llaw Duw i'w gweld yn rhyfeddodau dyluniol byd natur – adain gwas y neidr, y llygad, heb son am yr ymennydd dynol ac ati – yn deilchion. Roedd dethol naturiol dros filiynau dirifedi o flynyddau yn cynnig esboniad credadwy ar sail tystiolaeth a rhesymeg. Yn ôl Dawkins mae deall esblygiad yn rhwym o beri drwgdybiaeth ynghylch y syniad o ddylunio deallus, ac felly Dduw'r creawdwr, ym maes cosmoleg yn ogystal â maes bioleg. Meddai'r ffisegydd Leonard Susskind, 'Gyda Darwin a Wallace y dechreuodd cosmoleg fodern mewn gwirionedd'.[32]

Ymatebodd Cristnogion mewn ffyrdd cyferbyniol i Ddarwiniaeth. Aeth un garfan ati i geisio cysoni esblygiad ag arfaeth Duw. Dadleuodd rhai 'bod Duw ar waith ym mhroses dethol naturiol a bod dynoliaeth yn graddol esblygu i berffeithrwydd ysbrydol o fwy'.[33] Dyna'r dehongliad a gynigiodd William Jones i'r darpar-Barch Owen Gruffudd yn *Y Cychwyn* T. Rowland Hughes (gw Pennod 1). Yn wir doedd Darwin ei hun ddim am wadu bodolaeth Duw: 'agnostig fyddai'r disgrifiad cywiraf o gyflwr fy meddwl i', meddai. Mae'n debyg mai 'Bwldog Darwin', T. H. Huxley, a fathodd y gair 'agnostig' yn ystod yr 1860au i fynegi ei safbwynt yntau.

Tua'r adeg yma serch hynny y sefydlwyd yr arfer o allgau diwinyddiaeth yn llwyr o drafodaethau gwyddonol, yn wahanol i Newton a'i gymrodyr yng Nghymdeithas Frenhinol yr 17fed ganrif. Roedd gwyddoniaeth bellach am 'ymwrthod ag unrhyw ddamcaniaeth nad oedd yn seiliedig ar brofiad dyn o'r byd naturiol ac na ellid felly roi prawf arno'.[34]

Yr ymateb cyferbyniol – adwaith yn hytrach – oedd ymwrthod â'r dehongliad gwyddonol, ynghyd â'r Feirniadaeth Uwch a gofleidiodd Tegla a'i gymrodyr (gw Pennod 1), yn llwyr. Erbyn troad y ganrif roedd

Ffwndamentaliaeth wedi cael ei thraed tani, ag anffaeledigrwydd yr Ysgrythurau yn un o'i phum egwyddor sylfaenol.[35] Mae'r mudiad, sy'n arddel creadaeth a dyluniad deallus ac yn ymwrthod ag esblygiad, wedi tyfu yn rym gwleidyddol rhyngwladol o bwys, yn enwedig drwy ei gysylltiad â neo-ryddfrydiaeth economaidd yn yr Unol Daleithiau.

Cyferbyniol neu beidio fodd bynnag, yr hyn sy'n gyffredin i'r ddau ymateb yw eu bod-nhw'n dadlau'u hachos yn nhermau tystiolaeth a ffaith. Naill ai mae llaw Duw i'w weld ym mhroses esblygiad neu mae cyfrif Genesis o'r creu, ynghyd â dylunio deallus i esbonio bywyd, yn gryfach damcaniaeth na honiadau'r esblygwyr. Nodwyd uchod farn Karen Armstrong bod ceisio cyfiawnhau crefydd yn nhermau tystiolaeth empeiraidd, maen prawf gwirionedd i'r gwyddonydd, yn gam gwag sylfaenol y mae'i effaith gyda ni hyd heddiw.

At ei gilydd roedd y gwynt yn hwyliau atheistiaeth ddiwedd yr 19fed ganrif, yng ngwaith deallusion mawr fel Friedrich Nietzsche, er mor dymhestlog fu hynt deallusol hwnnw, ac yn bwysicach Sigmund Freud a gafodd ddylanwad pellgyrhaeddol, llethol fe ddywedai rhai, ar fyd-olwg y byd gorllewinol. Ymhell cyn eu dydd nhw, ac yn wir cyn cyhoeddi *Origin* Darwin, roedd y cymdeithasegydd Ffrengig Auguste Comte wedi dadlau bod dynoliaeth, yn sgil cynnydd gwyddoniaeth, yn symud i mewn i'r cam 'positifaidd' yn ei hanes. Byddai syniadaethau megis crefydd na ellid eu profi'n empeiraidd, drwy dystiolaeth, yn ildio'n anorfod i bwyslais ar ffeithiau. Doedd dim troi nôl i fod – roedd deddfau hanes yn ein gyrru-ni ymlaen i'r oes wyddonol.[36]

Mae'n drawiadol serch hynny bod Comte, tra'n mynnu na allai unrhyw berson deallus gredu yn Nuw mwyach, wedi ymdeimlo â'r golled a allai ganlyn syniadaeth gwbl faterol. 'Gallai cymdeithas seciwlar na ofalai am ddim ond pentyrru cyfoeth, darganfod gwyddonol, adloniant poblogaidd a serch rhamantus – cymdeithas heb unrhyw ffynhonnell o hyfforddiant moesol, cysur, parchedig ofn na chydsefyll – fynd yn ysglyfaeth i afiechydon cymdeithasol niweidiol.' Cysegrodd Comte ddegawdau o feddwl dwys felly i'r dasg o ddatblygu Crefydd Ddyneiddiol a oedd, tra'n gwrthod credoau'r crefyddau traddodiadol, yn tynnu ar elfennau o foeseg, celf a defod y rheini. Un o'i amcanion oedd creu offeiriadaeth newydd, gyda 100,000 o aelodau yn Ffrainc yn unig, yn meddu ar sgiliau athronyddol, llenyddol a seicolegol a rhwydwaith o eglwysi seciwlar gyda cherfluniau o seintiau amgen megis Cicero, Pericles, Shakespeare a Goethe.[37]

Cafwyd adwaith o fath gwahanol i resymiadaeth yn y mudiad rhamantaidd a ddominyddodd ran fawr o gynnyrch celfyddydol yr 19fed ganrif. Mynnodd John Keats mai'r cyfan y mae angen i ni wybod yw bod prydferthwch a gwirionedd yn gyfystyr[38] ac mae modd darllen cerdd fawr Samuel Taylor Coleridge am yr Hen Forwr fel disgrifiad o dröedigaeth grefyddol.[39] Er mai gweinidog anghydffurfiol ordeiniedig oedd y bardd Cymraeg Islwyn, o aruthredd natur y tynnodd e'r ysbrydoliaeth a barodd iddo ddatgan yn ecstatig, 'Mae'r Oll yn Gysegredig'.[40]

Ailddehongli Duw

Mae Karen Armstrong yn cyfeirio yn ei phennod 'Has God a Future?'[41] at nifer o ymdrechion i ddehongli'r syniad o Dduw mewn ffordd newydd neu o leiaf gydnabod ei werth ym mywydau dynion. Roedd y seicolegydd Alfred Adler (1870-1937) yn derbyn mai tafluniad dynol oedd Duw ond yn credu ei fod wedi bod o gymorth i ddynoliaeth fel 'symbol effeithiol o ragoriaeth'.[42] Tebyg oedd agwedd yr awdur Iddewig Hermann Cohen a ddehonglodd Duw fel y 'cariad affeithiol' sy'n ein dysgu i garu'n cymydog.[43] Roedd y Marcsydd Ernst Bloch yn gweld 'y syniad o Dduw yn beth naturiol i'r ddynoliaeth' ac fel 'y delfryd dynol na ddaeth i fod eto'.[44] Dadleuodd Bernard Lonergan bod y dyhead i'n trosgynnu'n hunain yn greiddiol yn natur dyn a bod hyn yn arwydd o'r dwyfol.[45]

Bid a fo am adwaith a chyfaddawd, parhaodd atheistiaeth ei hymdaith i mewn i'r ugeinfed ganrif. Achosodd ysgelerderau Natsïaeth yn arbennig argyfwng ffydd go waelodol, yn enwedig yn y gymuned Iddewig. Mae Karen Armstrong yn rhoi disgrifiad dirdynnol o effaith yr Holocost ar Elie Weisel, enillydd Gwobr Nobel, ac eraill ac yn crynhoi fel a ganlyn: 'Mae Duw pellennig yr athronwyr...wedi mynd yn annioddefol. All llawer o Iddewon ddim tanysgrifio mwyach i'r syniad beiblaidd o Dduw sy'n ei amlygu'i hun mewn hanes, a...fu farw yn Auschwiz. Mae'r syniad o dduw personol, tebyg i fersiwn o fwy ohonon ni, yn llawn anawsterau. Os yw'r Duw hwn yn hollalluog, fe allai fod wedi rhwystro'r Holocost'.[46]

Roedd profiad yr Holocost yn ffactor yn natblygiad mudiad Marw Duw y gellid dweud iddo gychwyn gyda chyhoeddi yn 1961 lyfr Gianni Vahanian o dan y teitl yna (cyfeiriad at eiriau Nietzsche, 'Mae Duw wedi marw') yn 1961. Yn ôl yr athro crefydd Iddewig-Americanaidd Richard Rubenstein yr Holocost oedd y 'foment mewn amser pan ddihunodd dynoliaeth i'r tebygrwydd nad oedd-hi'n bosibl mwyach i gredu yn Nuw theistaidd y cyfamod Abrahamaidd' ac mai yn nhermau 'proses hanesyddol y dylid gweld Duw'.

Fodd bynnag o fewn Cristnogaeth yn bennaf y tyfodd mudiad Marw Duw. Roedd rhai o'r diwinyddion yma, yn cynnwys Thomas Alitzer, yn tynnu ar hen ddraddodiad esoterig bod Duw wedi marw yng nghroeshoeliad Crist tra'n dadlau nad oedd-hi'n bosibl mwyach beth bynnag i gredu mewn Duw trosgynnol. Math o farddoniaeth oedd diwinyddiaeth meddai. Roedd eraill megis Paul van Buren yn mynnu nad oedd Duw erioed wedi bodoli: roedd y gair 'Duw' naill ai'n ddistyn neu'n gamarweiniol.[47]

O'r cyff yma yr eginodd gwaith pobl fel Paul Tillich, yr Esgob Robinson ac yng Nghymru J. R. Jones, a geisiodd synio am Dduw fel 'llawr bod' neu 'gariad' yn hytrach na rhywbeth 'allan fanna'. Cododd gwaith Robinson yn arbennig nyth cacwn o fewn y teulu Cristnogol a gwrthodwyd ei syniadaeth gan y sefydliad Anglicanaidd.[48] Fel y gall unrhyw un ohonon-ni sy'n mynychu llefydd o addoliad yn gyson neu'n achlysurol dystio, mae'r syniad o Dduw fel Bod personol goruwchnaturiol, crëwr a chynhaliwr y byd, un sy mewn rhyw fodd yn llywio hynt dynoliaeth, yn dal mor normal ag erioed mewn disgwrs crefyddol. Lleiafrif ymylol yw pobl megis yr esgob Anglicanaidd Americanaidd John Selby Spong[49] ac aelodau mudiad *Sea of Faith*, a ysbrydolwyd gan syniadau Don Cupitt.[50]

Yn y cyfamser, o bersbectif y sylwedydd digrefydd, mae ffwndamentaliaeth yn llanw'r ffurfafen ac yn diffinio'r drafodaeth boblogaidd.

Nodiadau

[1] Karen Armstrong, *A History of God*, Vintage 1999

[2] Karen Armstrong, *The Case for God, what religion really means*, Bodley Head 2009

[3] Nick Spencer, *Atheists, The Origin of the Species*, Bloomsbury, 2014

4   'Monotheism', Wikipedia
5   *The Case for God*, t 8
6   *A History of God* tt 45-8.
7   ibid t 213
8   gweler y bennod 'God' yn *The Case for God* tt 35-54.
9   ee Eseia 53
10 *A History of God* t 403
11 Vivian Jones, *Byw'r Cwestiynau*, Cristnogaeth 21, argraffiad
    newydd 2014, tt 8, 29
12 *A History of God*, t 331; Atheists tt 4-8
13 *Atheists*, t xvii
14 ibid tt 75-77
15 ibid t 84
16 *A History of God* tt 348-50; *The Case for God* t 198
17 *Atheists*, t 78
18 *The Case for God* tt 197-202; 2-3
19 *Atheists* tt 77-8
20 ibid t 93.
21 ibid tt 94-5
22 ibid t 98-9
23 ibid t 103
24 ibid tt 107-9
25 ibid t 134
26 ibid t 155
27 ibid t 159-60
28 ibid t 215
29 ibid tt 151
30 ibid tt 214-21
31 ibid tt 230-7
32 Richard Dawkins, *The God Delusion*, Black Swan, 2007, t 143
33 *The Case for God*, t 240
34 ibid tt 237, 241
35 'Fundamentalism', Wikipedia
36 *The Case for God* t 233.
37 Alain de Botton, *Religion for Atheists, a non-believer's guide
    to the uses of religion*, Penguin 2012, tt 300-7
38 'Ode to a Grecian Urn'

39 'The Rime of the Ancient Mariner'
40 *Islwyn, Detholiad o'i Farddoniaeth*, gol TH Parry-Williams, Gwasg Prifysgol Cymru, tt 25-28
41 *A History of God* tt 432-57
42 ibid t 410
43 ibid tt 424-5
44 ibid t 445-6
45 ibid t 441
46 tt 430-1
47 'Death of God theology', 'God is dead' a 'Christian Atheism', Wikipedia
48 'John Robinson, bishop of Woolwich', Wikipedia
49 gweler ee *Eternal Life: a New Vision*, HarperOne 2009
50 'Sea of Faith', Wikipedia

Pennod 3

Dadlau am Dduw: Heddiw

1 Yr Atheistiaeth Newydd

Grŵp o awduron oedd yr 'atheistiaid newydd' a aeth ati gydag egni ddechrau'r 21fed ganrif i ymosod ar grefydd am ei bod yn ddylanwad gwrth-resymol drygionus. Y llyfr a roddodd gychwyn yn 2004 ar ffrwd eu cyhoeddiadau oedd *The End of Faith; Religion, Terror and the Future of Reason* gan yr Americanwr Sam Harris. Ymateb oedd hwnnw i drychineb y Ddau Dŵr yn Efrog Newydd, Medi'r 11, 2001. Daeth *The God Delusion* Richard Dawkins yn fuan wedyn, rhyferthwy o lyfr a fu ar restr y gwerthwyr gorau am yn agos i flwyddyn, yn dilyn ei raglen ddogfen deledu *The Root of all Evil?* [1, 2]

Tebyg mai twf arswydiaeth ac eithafiaeth grefyddol oedd y pennaf ffactor a ysgogodd ymddangosiad y mudiad hwn sydd wedi cael cymaint o ddylanwad ar y drafodaeth gyhoeddus ers ei lansio. Roedd Christopher Hitchens, awdur *God is not Great: how religion poisons everything* (2006) yn gyfaill personol ac yn gefnogwr i'r nofelydd Salman Rushdie, a ddedfrydwyd i farwolaeth yn 1988 gan yr Aiatola Khomeini, arweinydd gwleidyddol ac ysbrydol Iran, am gabledd honedig yn erbyn Islam yn ei lyfr *The*

Satanic Verses. Bu Rushdie ar ffo, dan warchodaeth yr heddlu, am flynyddau.[3]

Ffactor arall, yn enwedig yn achos Richard Dawkins, oedd adwaith ffyrnig ffwndamentaliaeth grefyddol i theori esblygiad fel esboniad o fywyd ar y Ddaear. Mae cyfuniad o dristwch a rhwystredigaeth ffyrnig yn ei ddisgrifiad o rawd Kurt Wise, daearegydd Americanaidd galluog a gefnodd ar yrfa wyddonol addawol am na allai gysoni esblygiad â dealltwriaeth lythrennol o'r Beibl. Tarddiad y drwg meddai Dawkins oedd 'magwraeth grefyddol ffwndamentalaidd a oedd yn mynnu ganddo gredu bod y Ddaear – pwnc ei addysg ddaearegol yn Chicago a Havard – yn llai na deng mil o flynyddau o oed'.[4]

Yn y ddau dueddiad uchod, sef arswydiaeth yn enw crefydd a ffwndamentaliaeth, yr hyn a welwn-ni yw pobl yn adweithio'n ddinistriol-beryglus yn erbyn gwyddoniaeth a'r Goleuo gan ddewis yn hytrach ddychwelyd i gred lythrennol mewn hen athrawiaethau ac awdurdod absoliwt ysgrythurau 'cysegredig'. Mae ffwndamentaliaeth grefyddol meddai Dawkins 'â'i bryd ar chwalu addysg wyddonol miloedd di-ri o feddyliau ifainc diniwed, da-eu-bwriad'. Yn ôl adroddiad yn y *Wall Street Journal* mae bron i hanner oedolion yr Unol Daleithiau yn gwrthod derbyn damcaniaeth esblygiad a thraean yn anfodlon ei bod yn cael ei dysgu mewn ysgolion.[5]

Cyhuddwyd yr atheistiaid newydd o gollfarnu crefydd yn gyffredinol oherwydd gweithgareddau lleiafrif ffwndamentalaidd. Ateb Dawkins i hynny yw nad di-fai mo 'crefydd gall, anffwndamentalaidd' hithau. 'Mae'n gwneud y byd yn ddiogel i ffwndamentaliaeth,' meddai 'drwy ddysgu plant, o'r dechrau'n deg, mai rhinwedd yw ffydd ddi-gwestiwn'.[6] Dyna, felly, yw'r rhesymeg sy'n gorwedd y tu ôl i'r ymosodiad ar grefydd fel y cyfryw.

A siarad yn fras, mae i'r ymosodiad ddau berwyl

gwahanol: yn gyntaf bod crefydd at ei gilydd yn rym er drygioni, yn feddyliol ac yn ymarferol; ac yn ail nad oes unrhyw sail mwyach i'r hyn sy'n cael ei weld fel honiad canolog crefydd y Gorllewin, sef bod yna Dduw Goruwchnaturiol a ddaeth â'n bydysawd ni i fodolaeth ac sydd, i raddau mwy neu lai, yn ei reoli.

2 Crefydd: Grym er Drygioni neu Ddaioni?

Cyn troi at ddadl ac enghreifftiau'r atheistiaid newydd rwyf am roi enghraifft o beryglon efengyliaeth ffwndamentalaidd yr wyf i wedi dod ar eu traws yn bersonol.

Dros y flwyddyn ddiwethaf bu rheswm i fi fynychu gwasanaethau mewn capel bychan yn y traddodiad hwnnw ym mherfedd cefn gwlad Lloegr. I gychwyn ces fy swyno'n lân: yr awyrgylch deuluaidd gynnes; yr adeilad bach syml; y plant bach brwd, trwsiadus yn adrodd rhestr o lyfrau'r Beibl ar eu cof; canu'r emynau, pob un â'i wyneb addolgar tuag i fyny i ddilyn y geiriau ar y sgrîn; y gweddïau unigol diffuant yn codi'n ddigymell o'r frest, yn annerch 'yr Arglwydd' fel pe bai'n bresennol yn y fan a'r lle. Bron i fi fynd dan deimlad.

Daeth y nodyn amhersain cyntaf wrth i'r pianydd, gwraig annwyl, hynod garedig, gydnabod ar ei gweddi ddifyfyr mai cosb Duw ar Brydain am iddi gefnu ar grefydd oedd 'problem' mewnfudiad torfol. Thema'r bregeth wedyn oedd na fyddai Duw byth yn torri'i air a thystiolaeth o hynny oedd ailboblogi Israel heddiw gan Iddewon o bedwar ban byd, gan gyflawni proffwydoliaethau'r Ysgrythur. Roedd gair yr Arglwydd yn glir: plant Israel biau'r wlad, a neb arall.

Gellid yn hawdd ddismisio daliadau ecsentrig twr bychan o efengylwyr mewn capel anghysbell fel dim mwy na thipyn o nonsens amherthnasol. Ond awdurdod tybiedig yr Ysgrythurau sy'n ysbrydoli yn yr un modd rai o bleidiau asgell dde hynod ddylanwadol Israel heddiw ac yn cyfiawnhau meddiannu tiroedd y Lan Orllewinol, gan yrru allan y boblogaeth frodorol i wneud lle i fewnfudwyr Iddewig. Ac mae syniadau tebyg ymysg ffwndamentaliaid Cristnogol yr Unol Daleithiau yn ddylanwad o ddifrif ar bolisi llywodraeth eu gwlad yn y 'Dwyrain Canol'. Mae'r effaith barhaus ar iawnderau a chyflwr byw y Palestiniaid yn ofnadwy.

Yn ei bennod '*What's Wrong with Religion: Why so hostile?*'[7] mae Dawkins yn rhoi nifer o enghreifftiau o ddylanwad crefydd ar bolisi cyhoeddus. Mewn rhai gwledydd mae cabledd neu wrthgiliad (*apostasy*: cefnu ar Islam) yn cario dedfryd marwolaeth. Mae'r apêl at awdurdod absoliwt yr ysgrythurau yn aml yn porthi homoffobia, ac, yn ogystal, yn rhwystro trafodaeth gall, wedi'i seilio ar reswm a thystiolaeth, mewn meysydd polisi megis ewthanasia, atal cenhedlu ac erthylu.[8]

Enghraifft arbennig o absoliwtiaeth ffwndamentalaidd ar waith yw hanes y Parch John Hill, aelod o 'Fyddin Duw' yn erbyn erthyliad, a saethodd feddyg a'i warchodwr yn farw o flaen eu clinig erthylu yn Florida yn 1994. Cyfiawnhaodd ei gyfaill, y Parch Michael Bray, y weithred ar y sail ei bod yn angenrheidiol er mwyn achub bywydau babanod ac yn yr un cyfweliad fe gyfiawnhaodd ddienyddio godinebwyr. Dienyddiwyd Hill yn 2003 ac yntau'n edrych ymlaen at ddod yn ferthyr dros ei achos.

Dadl Dawkins yw nad dynion drwg oedd y Parchedigion Hill a Bray ond pobl ddiffuant yr oedd 'eu meddyliau wedi'u meddiannu gan nonsens crefyddol peryglus'. Yn yr achos yma mae'n anodd gwrth-ddweud ei ddadl mai eu daliadau crefyddol angerddol, nid unrhyw ffactor arall, a achosodd y weithred. Mewn geiriau eraill, petaen-nhw'n llai crefyddol, bydden-nhw'n ddynion llai peryglus.[9]

Mae ymosodiad Dawkins yn gynhwysfawr. Yn ei ragair mae'n gwahodd y darllenydd, yn ysbryd cân John Lennon, i ddychmygu byd heb grefydd. Mae'n rhestru hunan-fomwyr, rhaniad yr India yn dilyn annibyniaeth, rhyfeloedd Israel-Palesteina ac Iwgoslafia, trwblau Gogledd Iwerddon, dienyddio cableddwyr, y Croesgadau, ac erledigaeth wrth-Iddewig ymysg y drwgeffeithiau.[10] Gadewch i ni roi sylw arbennig i wrth-Iddewiaeth.

Yn ei ddadansoddiad trwyadl o wreiddiau'r Holocost mae Ronnie S. Landau[11] yn nodi na fu 'unrhyw son am gamwahaniaethu yn erbyn Iddewon y Diaspora tan i Gristnogaeth ddod yn rym o bwys yn Ewrop'. Dyna pryd y cychwynnodd y pardduo ar Iddewon fel 'lleiddiaid Crist', yn dilyn dehongliad arbennig o'r Efengylau. Erbyn yr Oesoedd Canol roedd yr erledigaeth yn magu stêm.

Wrth i'r Croesgadwyr groesi tiroedd y Rhein yn 1096 ar eu taith i adfeddiannu'r 'Wlad Sanctaidd' ar anogaeth y Pab, lladdwyd degau o filoedd o Iddewon. Wrth goncro Jerwsalem yn enw Tywysog Tangnefedd gwnaethon-nhw gyflafan ar ryw 30,000 o Iddewon a Moslemiaid, a'r gwaed yn ôl yr hanes yn cyrraedd eu penliniau .[12] Daeth yn beth cyffredin i gyhuddo Iddewon o ladd plant Cristnogol yn ddefodol er mwyn ail-weithredu croeshoeliad Crist. Pan ddaeth y Marw Du, cyhuddwyd Iddewon o'i achosi drwy wenwyno'r ffynhonnau dŵr. Yn Sbaen, aeth y Chwilys ati i arteithio a dienyddio Iddewon am heresi ac yn 1492 gyrrwyd 150,000 o'r boblogaeth Iddewig allan o'r wlad. Drwy'r canrifoedd wedyn fe'u herlidiwyd, eu hesgymuno a'u rhoi ar ffo dro ar ôl tro.

Yn yr 16ed ganrif galwodd un o dadau'r Diwygiad Protestanaidd, Martin Luther, am ddinistrio synagogau a chartrefi'r Iddewon, dwyn eu llyfrau gweddi a'u hysgrythyrau, a gwahardd eu rabiniaid rhag dysgu ac atafaelu eu cyfoeth, a hynny yn enw 'tân anniffodd digllonedd dwyfol'. Pwrpas y cyfan oedd 'ein rhyddhau-ni oddi wrth faich dieflig, annioddefol yr Iddewon'. Yn ôl rhai haneswyr, defnyddiodd llawer o Almaenwyr, gan gynnwys rhai clerigwyr Lutheraidd, safbwynt Luther i gyfiawnhau erledigaeth Nazïaidd yr ugeinfed ganrif. Ac er i Hitler gynllunio i wahardd Cristnogaeth tua diwedd ei yrfa, fe ganmolodd Iesu Grist yn un o'i areithiau cynnar 'am ei frwydr wych dros y byd yn erbyn y gwenwyn Iddewig', gan bwysleisio mai 'er mwyn hyn y bu rhaid iddo golli'i waed ar y groes'.[13]

Penllanw catastroffig hyn oll fu lladd chwe miliwn o Iddewon mewn hil-laddiad unigryw o drefnedig. Sgil-effaith hynny wedyn fu sefydlu gwladwriaeth Israel, breuddwyd ddelfrydgar lachar a drodd yn ddadrithiad chwerw wrth i hawliau'r Palestiniaid brodorol gael eu sathru'n ddidostur.

Nid dyma'r stori gyfan wrth gwrs ac mae enghreifftiau ddigon o Gristnogion yn achub cam Iddewon. Mae'n anodd dehongli'r hanes gwaradwyddus yma fodd bynnag fel dim llai na staen anferth, hyll a pharhaol ar Gristnogaeth. Hyd heddiw mae cantorion ein plygeiniau wrth ganu Carol y Swper yn ailadrodd yr enllib mai'r 'Iddewon' a fu'n gyfrifol am lofruddio mab Duw.[14]

Gallai cofrestr Dawkins o'r troseddau enbyd a gyflawnwyd yn enw crefydd lanw cyfrol ac mae'n bwysig bod Cristnogion a chrefyddwyr goleuedig heddiw yn cydnabod hynny. Sachlïain a lludw ac ymrwymiad gwylaidd i ddysgu oddi wrth bechodau'r gorffennol a'i piau-hi.

Ac eto rhaid herio'r ffordd y mae Dawkins, yr athronydd A. C. Grayling ac eraill yn hyrddio eu cyhuddiadau i gyfeiriad crefydd yn gyffredinol.

Mae'n bwysig i ni atgoffa'n hunain bod yna dueddiadau drygionus dwfn yn natur dyn sy'n barod i frigo i'r wyneb, crefydd neu beidio. Er enghraifft mae drwgdybiaeth o ddieithriaid yn rhan o etifeddiaeth ein hesblygiad, greddf ddofn a oedd ar un adeg yn angenrheidiol i oroesi. Anthropolegydd a fu'n astudio cymunedau traddodiadol yw Jared Diamond. Fel hyn y mae'n disgrifio'r amgylchiadau a roddodd fod i'n drwgdybiaeth naturiol o ddieithriaid: 'Os cwrddwch-chi â dieithryn yn eich tiriogaeth, rhaid i chi gymryd bod y person hwnnw'n beryglus gan ei fod... fwy na thebyg yn fforio gyda'r bwriad o ymosod ar neu ladd eich grŵp chi... neu ddwyn adnoddau neu gipio gwraig i'w phriodi'.[15] Mecanwaith goroesi sy'n aros yng ngwraidd ein natur ddynol felly sy'n gyrru rhagfarn, camwahaniaethu a hiliaeth.

Lle bo gwahaniaethau cred ynghlwm wrth hunaniaeth grŵp neu genedl, bydd crefydd yn ffactor yn y gwrthdaro neu'r camwahaniaethu ethnig. Camarweiniol ar y naw fodd bynnag yw mynnu mai crefydd yw eu hachos a chwbl arwynebol yw'r awgrym y byddai cael gwared rywfodd ar grefydd fel pe'n datrys y broblem. Yn wir, byddai mwy o hygrededd ym meirniadaeth Dawkins ac eraill pe baen-nhw'n cydnabod cyfraniad aruthrol y crefyddau mawr, gan gynnwys Iddewiaeth a Christnogaeth, i'r broses o godi ymhell uwchlaw culni a rhagfarn ethnig. 'Canys Efe a wnaeth o un gwaed pob cenedl o ddynion,' meddai Paul wrth ei gynulleidfa Roegaidd.[16]

Mae awgrym Dawkins mai crefydd oedd achos y 'Trwblau' yng Ngogledd Iwerddon yn chwerthinllyd o arwynebol. Gwraidd y broblem yn hytrach oedd gwrthdaro buddiannau o fewn y dalaith rhwng dau grŵp ethnig. 'Plannwyd' hynafiaid y naill grŵp, Saeson ac Albanwyr, yno yn rhan o strategaeth ymerodrol llywodraeth Prydain bedwar can mlynedd nôl.

Disgynyddion yw'r grŵp arall i'r boblogaeth frodorol a yrrwyd o'u tiroedd ac y cam-wahaniaethwyd yn systematig yn eu herbyn drwy'r canrifoedd dilynol. Cyd-ddigwyddiad hanesyddol, nid achos y gwrthdaro, oedd mai Protestaniaid oedd y naill grŵp a Chatholigion oedd y llall.[17] Gwleidyddol, nid crefyddol, oedd achosion yr helynt.

Yn yr un modd rhaid gweld treisgarwch a hunan-fomio ffwndamentalwyr Islamaidd yng nghyd-destun gwladychiaeth a pholisi tramor gwledydd y Gorllewin yn y Dwyrain Canol. Yn y gwraidd ein syched anniwall ni oll am olew a'r wleidyddiaeth grym sy'n tarddu o hynny yw'r drwg yn y caws ac adwaith cwbl ddealladwy yn erbyn hynny yw cenedlaetholdeb Arabaidd; hwnnw wedyn ynghlwm wrth Islam fel bathodyn hunaniaeth ethnig. Go brin bod unrhyw beth mwy seciwlar nag olew.

Gwladwriaethau atheistaidd ar y llaw arall a weithredodd rai o ysgelerderau pennaf yr ugeinfed ganrif.

Rhwng 1934 a 1940 fe aeth Stalin ati i buro Undeb y Sofietau o syniadau gwrth-chwyldroadol a gwrthwynebwyr, real a honedig, i'w arweinyddiaeth. Dienyddiwyd oddeutu miliwn o ddeallusion, ffermwyr a phobl broffesiynol yn y 'Buredigaeth Fawr'.[18]

Rhwng 1966 a 1976 lansiodd arweinydd Tseina, Mao Dse-dong, ei 'Chwyldro Diwylliannol'. Roedd ei arweinyddiaeth dan warchae yn rhannol oherwydd methiant trychinebus y 'Naid Fawr Ymlaen' (1958), ymdrech i foderneiddio economi Tseina ar sylfeini comiwnyddol a arweiniodd at newyn a degau o filiynau o farwolaethau. Er mwyn diogelu ei safle fel arweinydd a'r hyn roedd e'n ei ystyried yn hanfod ideolegol y Chwyldro lansiwyd y Chwyldro Diwylliannol. Dyna gychwyn deng mlynedd o anrhefn a difrod mawr i economi, addysg a chymdeithas yn gyffredinol. Aeth y 'Gwarchodwyr Coch', pobl ifainc wedi'u hysbrydoli gan Lyfr Coch Mao, ati i ddinistrio miloedd lawer o henebion, gan ymosod yn arbennig ar grefyddwyr a'u haddoldai fel elfennau hynafol gwrth-gomiwnyddol.[19]

Rhwng 1975 a 1979, Prif Weinidog Cambodia oedd y chwyldroadwr comiwnyddol Pol Pot. O ganlyniad i'w arbrawf radical mewn sosialaeth amaethol bu farw chwarter poblogaeth y wlad drwy ddienyddio, llafur gorfodol, diffyg bwyd a gofal meddygol gwael.[20]

Nid ymosod ar atheistiaeth yw pwrpas nodi'r enghreifftiau arswydus uchod ond darlunio'r modd y gall ymlyniad ffanatigaidd at ideoleg fel gwirionedd absoliwt arwain, mewn amgylchiadau cymdeithasol neilltuol, at ysgelerderau enbyd. Mae'n amlwg nad yw gwaredu'r byd o ddylanwad crefydd yn mynd i'n gwaredu hefyd rhag cyflafan na methiant, nac ychwaith rhag dallineb syniadol. Mae yna ffactorau dyfnach, agweddau ar natur dyn ac ar wneuthuriad y byd, ar waith. 'Pechod' yw gair Cristnogaeth ar bethau felly.

Anwybodaeth, rhagfarn, twpdra, camddehongli, ffanatigiaeth, cilio rhag y gwirionedd, ceisio diogelwch mewn hen syniadaeth ddi-sail, cosbi'r bwch dihangol mewn cyfnodau o argyfwng a throi at drais – dyma feiau parod y mae angen gwarchod rhagddyn-nhw'n barhaus. Nid crefydd ond y natur ddynol yw eu tarddle er y gall crefydd ar dro gynnig sianel iddyn-nhw lifo ar hyd-ddi. Rhyfedd fel y mae dyn yn amlach na pheidio yn chwilio am gyfiawnhad egwyddorol-foesol wrth i'w dueddiadau mwyaf dieflig ei feddiannu.

Nid mor rhyfedd efallai yw'r duedd a welwn-ni mewn hanes dro ar ôl tro i awdurdodau a mudiadau gwleidyddol herwgipio crefydd i'w pwrpas eu hunain, gan lurgunio'i hystyr hanfodol yn llwyr yn y broses. Pan fabwysiadodd Cystennin Gristnogaeth yn grefydd swyddogol holl wledydd yr Ymerodraeth Rufeinig un o'i amcanion oedd eu clymu'n un drwy orfodi Credo gyffredin arnyn-nhw i gyd. Bu mabwysiadu dysgeidiaeth Mwhamad yn fodd i uno'r llwythau Arabaidd a'u dygyfor yn rym ymerodrol ehangol gyda'r grymusaf a welodd y byd. Gellid amlhau enghreifftiau. Nid dim ond crefydd a gafodd ei chamddehongli i gyfiawnhau gweithredoedd ysgeler ac ateb dibenion gwladwriaethol. Gall ddigwydd i wyddoniaeth hefyd. Ar sail cysyniad creiddiol Darwin ynghylch goroesiad yr addasaf fel peiriant esblygiad, mynegodd ei gefnder Francis Galton ei bryder y byddai cynnal gweiniaid cymdeithas, drwy i'r wladwriaeth weithredu polisi lles a sefydlu gwallgofdai, beri i gymdeithas gael ei gorlanw â phobl israddol. Mae effaith syniadaeth 'Darwiniaeth Gymdeithasol' i'w gweld hyd heddiw mewn polisïau *laissez faire* a gwleidyddiaeth asgell-dde.

Cafodd syniadau Galton am Ewgeneg ddylanwad mawr. Syniad y ffug-wyddor hon oedd gwella cynhysgaeth enetegol dyn drwy annog pobl oedd yn meddu ar nodweddion 'da' i blanta rhagor na'r rhai oedd â nodweddion 'gwael'. Mewn amryw wledydd, yn cynnwys yr Unol Daleithiau, Gwlad Belg, Brasil, Canada, Japan a Sweden, gweithredwyd polisi o ddiffrwythloni rhai carfannau o'r boblogaeth, yn cynnwys y sâl eu meddwl. Cymhwysodd y Natzïaid syniadaeth Ewgeneg i hil. Rhaid oedd gwarchod, cryfhau a phuro'r hil Ariaidd drwy ddiffrwythloni'r sâl eu meddwl, y methedig, a grwpiau ethnig arbennig. Penllanw'r polisïau hyn oedd y cynllun i ddileu Sipsiwn ac Iddewon oddi ar wyneb y ddaear drwy lofruddiaeth dorfol. Nonsens wrth gwrs fyddai beio Gwyddoniaeth am yr Holocost.[21]

Er ymroddiad Dawkins i'r dull gwyddonol, dyw e ddim yn rhydd o'r duedd naturiol i ystumio tystiolaeth er mwyn hyrwyddo'i ddadl. Nid crefydd meddai oedd y ffactor canolog yn ymgyrch Martin Luther King i ennill cyfiawnder i bobl Affro-Americanaidd yr Unol Daleithiau. 'Er bod Martin Luther King yn Gristion, fe dynnodd ei athroniaeth am anufudd-dod sifil yn syth oddi wrth Ghandi, nad oedd yn Gristion', meddai.[22] Mae'r sylw yn bisâr ar ddau gyfrif. Yn gyntaf mae'n anwybyddu dylanwad aruthrol y Bregeth ar y Mynydd ar ymgyrchu di-drais King, yn ogystal ag ysbrydoliaeth y chwedl am Foses yn arwain ei bobl o'r Aifft a oedd wedi'i gwreiddio mor ddwfn yn ymwybyddiaeth y caethion du. Yn ail roedd Ghandi ei hun yn ŵr dwfn o grefyddol ac yn cydnabod dylanwad Iesu Grist arno. 'Mynegodd [Iesu] fel na allai neb arall, ysbryd ac ewyllys Duw' meddai. 'Yn yr ystyr yna rwy'n ei weld a'i gydnabod yn Fab Duw'.[23]

Dyna ni wedi crybwyll dwy enghraifft o egwyddorion crefydd yn gyrru dau o drawsnewidiadau blaengar yr ugeinfed ganrif mewn modd di-drais. Trydedd enghraifft yw'r penderfyniad rhyfeddol yn 1995 i sefydlu Comisiwn Gwirionedd a Chymod yn Ne Affrica, dan arweiniad yr Archesgob Tutu, ar adeg pan oedd perygl mawr y byddai diwedd apartheid yn arwain at gyfnod o ddial gwaedlyd gan y dioddefwyr ar ei gynheiliaid. Dyma enghraifft loyw o roi ar waith ddysgeidiaeth Iesu am sicrhau cyfiawnder tra'n caru gelynion a gorseddu ysbryd tangnefedd.

Gellid wrth gwrs greu rhestr hirfaith o enghreifftiau lle bu ac y mae crefyddau wedi bod yn ddylanwad daionus grymus. Ond pwy mewn difrif sydd am lunio'r fantolen hanesyddol i fesur er enghraifft faint o dda a drwg a achoswyd gan Gristnogaeth dros y ddau fileniwm diwethaf? Byddai rhaid pwyso yn y dafol fyrdd anfesuradwy o storïau cymdeithasol a phersonol diflanedig yn ogystal â chyffroadau mawr hanes. Tasg amhosibl wrth gwrs. Mae yna demtasiwn mae'n wir i ni yng Nghymru drïo mesur a phwyso dylanwad anghydffurfiaeth Gristnogol ar ein bywyd cenedlaethol dyweder ers y Diwygiad Methodistaidd. O'm rhan fy hun, er gwaetha'i holl ffaeleddau, mae'n anodd gen i beidio â'i weld, at ei gilydd, fel grym gwareiddiol, creadigol a datblygol mawr a gyfoethogodd fywydau miloedd lawer o bobl, gan eu helpu i wneud y gorau o brofiadau bywyd, y melys a'r chwerw a'r cyffredin, ac, ar dro, eu codi i dir ysbrydol uwch, a'u hysbrydoli i wneud gweithredodd da.

Ond tybed nad dadl seithug yw ceisio cloriannu felly? Y cwestiynau pwysig i fi yw pa ran all fod i grefydd ym mywyd cymdeithas heddiw ac i'r dyfodol a pha ffurfiau ar grefydd y mae angen eu meithrin er mwyn elwa ar ei bendithion a chadw'n glir o'i hanffurfiadau. Dyma gwestiynau y gwneir ymdrech i'w trafod ym Mhennod 4.

3 A Oes-yna Dduw?

Y Ddadl yn Erbyn

Er mwyn gosod sylfaen i'w ddadl am fodolaeth Duw mae Dawkins yn cynnig y diffiniad canlynol: 'Deall goruwchddynol, goruwchnaturiol a ddyluniodd ac a greodd y bydysawd ynghyd â phopeth sydd ynddo, ninnau yn gynwysedig, yn fwriadol.[24] Mae Grayling yn nodi mai'r peth arferol yw synied am dduwiau fel pethau y dylid ufuddhau iddyn-nhw, eu hofni, a'u haddoli; sy'n fodd o esbonio llawer o bethau, gan gynnwys dechreuad y bydysawd; ac sy'n cynnig fframwaith o egwyddorion moesol a phwrpas i fywyd.[25] Yn nes ymlaen, mi gawn drafod ymdrechion amgen i synio am Dduw ond am y tro y nodweddion yma, gyda daioni perffaith yn ychwanegiad, fydd sail y drafodaeth sy'n dilyn. Wedi'r cyfan, mae'n cyfateb yn agos iawn, ddywedwn i, i ddealltwriaeth y 'Dyn Cyffredin', ac un o'r rheini ydw i.

Yn ei bennod hynod ddifyr, '*Arguments for God's Existence*', mae Dawkins yn palu mewn yn awchus i bum prawf Tomos o Acwin o fodolaeth Duw (y rhai fu'n gefn i'r Tegla ifanc fwy na chanrif yn ôl). Fersiynau o'r un ddadl meddai yw'r tair gyntaf: y Symudydd Disymud, yr Achos nad Achoswyd, a'r Cosmolegol (rhaid bod rhywbeth anghorfforol wedi dwyn pethau corfforol i fodolaeth). Sylwedd y 'profion' hyn meddai yw bod angen bodolaeth Duw i osod terfyn ar gwestiwn dechreuad popeth yn y lle cyntaf. Y term technegol yw 'atchweliad' (*regression*).

Mae dau wrthwynebiad i'r ddadl yma. Y cyntaf yw'r un a glywais i'n blentyn gynt yn siop y barbwr, sef yr angen wedyn i esbonio sut y daeth Duw yntau i fod. Yr ail yw, hyd yn oed pe bai dyn yn derbyn bod angen 'terfynydd' i esbonio cychwyn pob peth, pa reswm sydd dros honni ei fod yn hollwybodol, yn hollalluog ac yn gwbl ddilychwin ddaionus: nodweddion sy'n cael eu priodoli i Dduw?[26] Callach lawer meddai Dawkins fyddai derbyn mai'r Glec Fawr, damcaniaeth wyddonol y mae erbyn hyn gryn dystiolaeth o'i phlaid, oedd cychwyniad pob peth.

Ymlaen ag e wedyn i ddelio, yr un mor ddeifiol, â dau brawf arall Tomos o Acwin, sef am safon berffaith a dyluniad y greadigaeth; dadl 'ontolegol' Anselm; y dadleuon ar sail bodolaeth prydferthwch, profiad personol; ac awdurdod yr ysgrythurau. Mae hefyd yn ymdrin â'r apêl at wyddonwyr crefyddol – y ffaith fod yna wyddonwyr disglair sy'n credu mewn Duw. Mae ganddo drafodaeth ar Fargen Pascal, a ddadleuodd mai'r peth callaf fyddai credu yn Nuw gan fod y gosb am beidio gwneud hynny (tragwyddoldeb yn uffern) yn anrhaethol fwy na'r gost gymharol ysgafn yn y byd hwn o fod yn gredadun. Yn yr adran olaf mae'n delio ag ymgais un theist i ddefnyddio theorem Bayes i amcanu tebygolrwydd bodolaeth Duw (67%, neu o ychwanegu 'ffydd' 95%).[27] Go brin bod gwerth olrhain llinell dadl Dawkins yma, dim ond nodi bod ei resymeg yn rymus a'i drafodaeth yn drwyadl, er yn bolemaidd ei naws. Ei bwrpas yw peidio gadael un garreg heb ei throi. (Mae Grayling yn neilltuo pum pennod o drafodaeth athronyddol i'r un perwyl.[28])

Mae'r bennod, '*Why there is almost certainly no God*'[29] fodd bynnag yn haeddu sylw manylach. Yma y mae Dawkins yn rhoi'i arbenigedd gwyddonol neilltuol ar waith. Ei fan cychwyn yw cydnabod mai rhyfeddod trefn y cread, yn benodol yr annhebygolrwydd mai ar siawns y daeth i fodolaeth, yw'r ddadl gryfaf dros gredu mai Duw a'i dyluniodd-hi. Rhith a dim mwy serch hynny yw'r dyluniad honedig y mae ffwndamentalwyr a llawer o grefyddwyr eraill yn pwyso mor drwm arno.

Bioleg esblygiad, y maes astudiaeth lle'r enillodd Dawkins y fath fri, yw man cychwyn ei ddadl. Nid dyluniad ond esblygiad graddol drwy ddethol naturiol dros oesoedd dirifedi sydd i gyfrif am amryfathedd ryfeddol bywyd ar y Ddaear meddai. Nid siawns mo hynny ond proses raddol, raddol, dros oesoedd maith, o ymaddasu i amgylchiadau allanol yn ymdrech barhaus y rhywogaethau i oroesi ac atgenhedlu. Yn ei gyfrol *Climbing Mount Improbable* fe ddefnyddiodd drosiad llethr graddol mynydd i ddarlunio'r modd y 'dringodd' ffurfiau bywyd dros y maith filenia i'w cyflwr presennol. Mae'r dystiolaeth o blaid hynny'n llethol, ar ffurf ffosiliau ac yn wir rywogaethau sy'n bod heddiw.

Mae cynheiliaid yr hyn sy'n cael ei alw'n 'ddylunio deallus' yn defnyddio cymhlethdod rhyfeddol y llygad dynol i 'brofi' bodolaeth creawdwr. Cymhlethdod anrydwythol (*irreducible complexity*) yw eiddo'r llygad dynol, medden nhw: tynnwch ryw elfennau allan ohono a dyw-e'n dda i ddim. Hynny'n profi i greawdwr ei ddylunio'n gyfan, ar ei ffurf bresennol. I'r gwrthwyneb meddai Dawkins, mae digonedd o enghreifftiau o lygaid mewn creaduriaid byw heddiw sydd â dim ond rhai o nodweddion llygad dyn, ond sy'n allweddol er mwyn goroesi. Dethol naturiol sy'n 'esbonio sut y gall cymhlethdod cyfundrefnol ddatblygu o ddechreuadau syml heb gael ei lywio'n fwriadol'.[30] Mae'r holl beth yn destun rhyfeddod a pharchedigaeth – ond dyw-e ddim yn ddirgelwch.

Mae Dawkins yn llym ei lach ar arfer rhai crefyddwyr o ddefnyddio'r bylchau mewn gwybodaeth wyddonol yn dystiolaeth o fodolaeth Duw: dadl 'Duw'r Bylchau'. Ar y llaw arall mae'n canmol 'diwinyddion meddylgar megis Dietrich Bonhoeffer' sy'n anghymeradwyo strategaeth felly: onid yw'r bylchau'n crebachu'n barhaus wrth i wyddoniaeth ymdeithio yn ei blaen a'r gofod ar gyfer Duw'n crebachu yn sgil hynny? I'r gwyddonwyr mae'r bylchau'n sbardun i fwrw ymlaen i geisio eu llenwi. Mor wahanol yw rhybudd Awstin Sant rhag 'clefyd chwilfrydedd... sy'n ein gyrru i geisio darganfod cyfrinachau natur... na ddylai dyn geisio'u deall'.[31]

Mae Dawkins yn hapus i gydnabod bod yna fylchau na all esblygiad eu llanw, ac un o'r rhain yw sut y dechreuodd bywyd ar ein planed ni. I esbonio sut y daeth cyfres o gydddigwyddiadau cwbl annhebygol at ei gilydd i alluogi bywyd fel y cyfryw i ddod i fodolaeth, rhaid troi at yr 'egwyddor anthropig'. 'Anthropos' yw'r gair Groeg am ddyn a'r egwyddor anthropig yw bod 'rhaid i'r Bydysawd ffisegol fod yn gydnaws â'r bywyd ymwybodol a deallus sy'n sylwi arno'. Rhaid i fi gyfaddef bod y diffiniad yna'n codi'r bendro arnaf i, ond rwy'n cymryd mai rhywbeth tebyg i'r canlynol yw neges Dawkins: o bersbectif realiti ein hymwybyddiaeth ni y mae ceisio amgyffred rhyfeddod ein bodolaeth, nid drwy ragdybio bwriad gan greawdwr goruwchnaturiol.[32]

Mi gawn gyfle i fanylu ynghylch, a rhyfeddu at, rai o'r cyd-ddigwyddiadau anhygoel a'n galluogodd ni, fodau dynol, i fodoli yn nes ymlaen wrth drafod syniadau John Houghton. Ystadegau, 'hud-a-lledrith rhifau mawr' yw esboniad Dawkins. A bod yn geidwadol meddai, gawn-ni gymryd bod biliwn o biliynau o blanedau yn y bydysawd? Gyda rhif mor aruthrol mae'r cyfuniad o gyd-ddigwyddiadau a allai arwain at ymddangosiad elfennau cyntefig bywyd ar o leiaf un o'r planedau hynny yn dod yn ystadegol gredadwy os nad yn debygol. Siawns yn wir, ond siawns gredadwy. (Mae'n cydnabod, yn ddiddorol iawn, y gall fod lle i siawns hyd yn oed yn stori esblygiad hyd yn oed yn stori esblygiad, mewn digwyddiadau unwaith-ac-am-byth megis dechreuad ymwybyddiaeth er enghraifft[33].)

Mae Grayling yn cyflwyno'r un ddadl – o blaid siawns ac yn erbyn teleoleg[34] – yn y termau canlynol: 'Oni bai bod fy hen-hen-hen-hen rieni cu i...wedi byw fel y gwnaethon-nhw, a gwneud y pethau a wnaethon-nhw – yn union bron iawn fel y gwnaethon-nhw – fyddwn i ddim yn bod. Dyma sylw ôl-ddrychol y mae modd i fi'i wneud am fy mod-i yn bod, er mod-i'n llawn rhyfeddod at y miliynau o gyd-ddigwyddiadau (ffortunus i fi) yr wyf i'n ganlyniad iddyn-nhw... Dwyf i ddim yn credu fodd bynnag mai fy modolaeth i oedd pwynt a phwrpas yr holl ddigwyddiadau yma'.[35]

Hyd yma rydyn-ni heb drafod dechreuad y bydysawd ei hun, y cwestiwn cosmolegol: caiff hwnnw hefyd fod tan i ni fynd i'r afael â safbwynt John Houghton.

Ynghylch y cwestiwn mawr arall, sef sut mae cysoni presenoldeb drygioni yn y byd â bodolaeth Duw daionus a hollalluog, does dim angen i ni oedi'n hir gyda'r atheistiaid newydd. Dyma bwnc llyfrau a thraethiadau aneirif, problem ingol i'r saint a'r werin drwy'r oesoedd, ond i Dawkins a Grayling mae'r ateb yn syml: mae'n amhosibl. I gredu bod i Dduw ran yn y gwaith o ddylunio natur, meddai Grayling, byddai rhaid derbyn ei fod naill ai'n 'hynod o analluog (peri i'r nerf optig achosi man dall yng nghanol y retina er enghraifft) neu'n hynod o fileinig (er enghraifft fynychder clefydau arteithiol)'.[36] Galw i gof sylw miniog yr actor-ddigrifwr Woody Allen y mae Dawkins: 'Os daw-hi i'r amlwg bod yna Dduw, dwy-i ddim yn meddwl mai drwg yw-e. Y gwaethaf y gallwch-chi ddweud yw mai yn y bôn tangyflawnwr yw-E'.[37] Daw cyfle am aeddfetach trafodaeth yn nes ymlaen wrth i ni ystyried safbwynt y theodiciaid.

Y Ddadl o Blaid: Creu'r Cosmos

Os oes gan unrhywun awdurdod i draethu ar y berthynas rhwng crefydd theistaidd a gwyddoniaeth, y Cymro John Houghton yw hwnnw. Cafodd ei fagu yn y traddodiad efengylaidd gan rieni duwiol a heddiw mae'n flaenor ac yn bregethwr lleyg gydag Eglwys Bresbyteraidd Cymru. Roedd yn un o sylfaenwyr Y Gymdeithas Gydwladol dros Wyddoniaeth a Chrefydd. Bu'n Athro Ffiseg yr Atmosffer ym Mhrifysgol Rhydychen, yn Brif Weithredydd Swyddfa'r Met ac yn un o sylfaenwyr Canolfan Hadley. Daeth i amlygrwydd byd-eang drwy ei waith yn gyd-gadeirydd gweithgor gwyddonol Panel Rhynglywodraethol y Cenhedloedd Unedig ar Newid Hinsawdd. Efe oedd prif olygydd tri adroddiad cyntaf y Panel, a sefydlodd y tu hwnt i amheuaeth resymol bod gweithgarwch dyn yn achosi newid hinsawdd ac ymhellach bod angen newid cyfeiriad radical ar lefel global er mwyn osgoi trychineb amgylcheddol. Y gwaith arloesol hwn a enillodd wobr Nobel i'r Panel. Oherwydd ei argyhoeddiad Cristnogol a'i wreiddiau yn y traddodiad efengylaidd bu'n ddylanwadol wrth berswadio efengylwyr yr Unol Daleithiau i dderbyn gwirionedd newid hinsawdd a chefnogi polisïau a allai ymateb i'r her.[38]

Ymdrech yw ei gyfrol *The Search for God, can Science help?*[39] i gymodi'r ddwy brif elfen – gwyddoniaeth a chred yn y Duw Cristnogol – yn ei hanes personol a chyhoeddus. Addasiad yw'r gyfrol o'i ddarlithiau Templeton Rhydychen a draddodwyd yn 1992.[40]

Y dull anwythol o resymu y mae'n ei ddefnyddio i gyrraedd ei gasgliad ynghylch bodolaeth Duw. Ystyr hynny yw 'cymryd yn y lle cyntaf bod yna Dduw a greodd ac sy'n cynnal y bydysawd' ac yna ofyn y cwestiynau canlynol: 'Am ba fath o Dduw yr ydyn-ni'n siarad? Oes modd i ni ddysgu unrhywbeth amdano oddi wrth ddyluniad y bydysawd? Os oes, ydi'r hyn rwyf wedi'i ddysgu'n cryfhau fy mwriant gwreiddiol fod-yna Ddylunydd?' Mae'n pwysleisio serch hynny nad 'prawf rhesymegol o fodolaeth Duw' sy'n bwysig iddo yn gymaint â gallu dod o hyd i ystyr – 'nid prawf ond persbectif'. 'Rhesymau eraill na'r gwyddonol – ystyriaethau moesol, y parchedig ofn a'r rhyfeddod sy'n dod o wybodaeth fodern am y bydysawd' sy'n ysgogi'i ymchwil am Ddylunydd.[41]

Yn dilyn disgrifiad eglur-gyffrous o'r bydysawd a theori'r Glec Fawr (y mae'n ei derbyn yn sail i'w ddadansoddiad[42]), mae'n symud ymlaen yn y bennod *'Made with Humans in Mind?'* i drafod enghreifftiau o'r 'cywir-diwnio' (*fine-tuning*) yr oedd yn rhaid wrtho i alluogi'n bydysawd ni, a ninnau yn ein tro, i ddod i fodolaeth. Mae'r gyfres o 'gyd-ddigwyddiadau' yn drawiadol hyd at fod yn anhygoel.

(i) Er mwyn i'r bydysawd fod yn ddigon gwastad ei siâp i esblygu fel y gwnaeth, rhaid oedd i'r helaethu a ddigwyddodd yn dilyn y Glec Fawr fod ar gyflymdra arbennig iawn. Rhy gyflym, a fyddai yna ddim digon o amser i'r galaethau a'r sêr ymffurfio; rhy araf, a byddai'r bydysawd wedi ailgolapsio. I sicrhau'r cyflymdra cywir, rhaid oedd i ddwysedd y bydysawd yn y 'dechrau'n deg' fod yn fanwl-gywir i raddau cwbl ryfeddol.

(ii) Rhaid bod llyfnder y bydysawd o radd arbennig iawn. Rhy unffurf, fyddai yna ddim parthau o ddwysedd uchel i alluogi ffurfio'r galaethau cynnar. Rhy lympiog, a byddai tyllau duon anferth wedi dominyddu'r bydysawd.

(iii) Rhaid bod lefel yr 'entropi' (anrhefnusrwydd) ym momentau cyntaf y bydysawd yn isel i raddau tra arbennig – mor arbennig fel nad oes modd ei fynegi mewn rhifau cyfarwydd.

(iv) Er mwyn i garbon gael ei gynhyrchu rhaid oedd i amodau ynni fod yn union gywir i achosi atseinedd (*resonance*). Heb bresenoldeb yr union lefel yma o ynni atseiniol, fyddai dim digon o garbon i esgor ar fywyd erioed wedi'i ffurfio.

(v) Oni bai bod yr ynni ocsigen ar yr union lefel 'gywir' buasai'r carbon o fewn y sêr wedi'i draflyncu i'r fath raddau fel na fuasai digon ar ôl i alluogi ffurfiau ar fywyd tebyg i ni i fodoli.

(vi) O ran ein planed ni, rhaid bod y tymheredd cyfartalog ar wyneb y ddaear a chyfansoddiad cemegol yr atmosffer yn hollol addas ar gyfer y ffurfiau ar fywyd sy'n bod yma. Mae a wnelo hyn yn ei dro â'i hunion bellter oddi wrth yr haul. Ffactor atodol efallai yw gallu'r blaned gawraidd Iau i ddenu a dinistrio meteorau a allai fel arall daro yn erbyn y ddaear a'n dileu ninnau.

Mi allwn, meddai Houghton, naill ai weld hyn oll fel cyfres gwbl eithriadol o gyd-ddigwyddiadau neu fwrw fod yr holl broses wedi'i hadeiladu i mewn ar lefel fwy sylfaenol –

efallai y daw hyn i'r amlwg os llwydda gwyddonwyr i ddod o hyd i 'Theori Pob Peth'. Y naill ffordd neu'r llall, yn ôl Houghton, mae'r dystiolaeth yn tueddu'n gryf i gadarnhau'i fwriant cychwynnol: bod yna Ddylunydd, sef Duw, a roddodd yr holl broses ar waith.

Rhyfeddod ychwanegol, yn goron ar y cwbl, yw ein bod ni, blant dynion, wedi datblygu mewn ymwybyddiaeth a deall i'r fath raddau fel y gallwn ni amgyffred y bydysawd y tarddon-ni ohono, ac, i ryw raddau, ddisgrifio'r deddfau ffisegol (a dyma ffaith nodedig arall) sy'n gyffredin i bob rhan ohono.[43] Yng nghyd-destun y rhyfeddod yma y mae Houghton yn dyfynnu'r ffisegydd Paul Davies: 'Drwy fodau ymwybodol mae'r bydysawd wedi esgor ar hunan-ymwybod. All hyn byth â bod yn ddim byd ond... sgil-gynnyrch bychan i rymoedd dibwrpas, difeddwl. Yn wir i chi, fe'n bwriadwyd ni i fod yma'. Wedi dweud hynny mae'n amau ai 'Duw' yw'r term addas i'r lefel ddyfnach yma o realiti neu a oes 'llawer o berthynas rhyngddo â Duw personol crefydd'.[44]

Nid felly y mae John Houghton yn ei gweld-hi. Gan ein bod ni yn meddu ar feddyliau, ymwybyddiaeth a hunan-ymwybod, y gallu i ddeall a gwerthfawrogi 'rhywfaint o'r dyluniad mawreddog' a'i brydferthwch, mae'n afresymol i gredu nad yw'r Un a'n gwnaeth-ni'n meddu ar yr un priodoleddau. Nodweddion personol yw'r rhain. Person felly yw Duw. Heb hynny, mater o ddiddordeb academaidd fyddai cwestiwn ei fodolaeth. Gan mai person yw-E fodd bynnag mae'r posibilrwydd o greu perthynas ag E yn codi.[45] I John Houghton y Cristion wrth gwrs, Iesu Grist yw'r allwedd i'r berthynas yna.[46] Ond rhan o 'stori ffydd', nid 'stori gwyddoniaeth', yw perthynas felly.

I ddarlunio'r gwahaniaeth rhwng y ddwy stori yma mae John Houghton yn cynnig dehongliadau cyfochrog o hanes Paul yn cael ei longddryllio ar ynys Melita.[47] Ystyr y

digwyddiad yn stori gwyddoniaeth yw'r esboniad ffeithiol
– y storm, y rhaffau'n torri a'r llong yn cael ei dryllio ar y
creigiau. Y pwyslais yn stori ffydd yw bod y criw a'r
teithwyr wedi goroesi, Paul wedi iacháu pennaeth yr ynys
yn wyrthiol a Christnogaeth wedi bwrw gwreiddiau ym
Melita. Mae gan y ddau ddehongliad, meddai'r awdur, hawl
gyfartal i gael eu hystyried, o safbwyntiau gwahanol ac
mewn mathau gwahanol o iaith. 'Mae Duw yn ddigon
mawr ac yn ddigon clyfar' i gwmpasu'r ddau.

Mae Duw hefyd yn rhy fawr i guddio yn y 'bylchau' y
mae llawer o ddiwinyddion yn apelio atyn-nhw fel
tystiolaeth o'i fodolaeth. Nid mewn enghreifftiau penodol
o 'ddyluniad deallus' y mae canfod ei waith ychwaith ond
yn y cread cyfan a luniodd, a wnaeth ac y mae'n ei gynnal.[48]

Disgrifiad anghyflawn, ond teg gobeithio, rwyf wedi'i
roi o ddehongliad John Houghton. Mae'n weledigaeth
apelgar ac mae'r cymhwysiad moesegol ohoni i gwestiwn
yr amgylchedd naturiol yn y bennod 'Stewards in God's
World', yn ardderchog. Mae'i ymosodiad ar 'rydwythiaeth',
sef yr egwyddor bod torri popeth i lawr, meddwl dyn er
enghraifft, i'w elfennau cyfansoddol yn cynnig esboniad
digonol ohono, yn finiog-rymus.[49] Yn fy marn i fodd
bynnag dyw ei ddadl sylfaenol dros fodolaeth Duw ddim yn
dechrau argyhoeddi.

Cofier ei fan cychwyn: nid ystyriaeth ddiduedd o'r
cwestiwn ond ymchwil am ystyr ar sail y fframwaith o
gredo a etifeddodd o'i gefndir Cristnogol-efengylaidd. Yn y
dull gwyddonol mae'r rhagdybiaeth gychwynnol yn cael ei
darostwng i broses drwyadl o brofi tan iddi yn y diwedd
gael ei chadarnhau neu ei gwrthod. Yn null y gyfrol yma
fodd bynnag rhaid cyflwyno 'stori ffydd' ochr-yn-ochr â'r
ffeithiau gwyddonol i wneud synnwyr crefyddol o'r
dystiolaeth. A'r hyn yw enghraifft Houghton o stori ffydd –
hanes llongddrylliad Paul ar ynys Melita – yw dehongliad

goddrychol-ddychmygus er cynnig cysur ac ysbrydoliaeth i'r awdur a'i gynulleidfa. Mae iddi ei gwerth diamheuol ond dyw-hi'n dweud dim am fodolaeth Duw.

A yw'r 'cyd-ddigwyddiadau' neu'r deddfau a adeiladwyd i mewn i'r broses o greu'r bydysawd – y cywir-diwnio honedig – yn rheswm i gredu mewn Creawdwr personol? Ar yr olwg gyntaf dyw 'hud-a-lledrith rhifau mawr' Dawkins, myrdd aneirif y sêr a'r galaethau yn ein bydysawd ni, ddim fel pe'n tycio yma: un bydysawd y gwyddon ni amdano. Fodd bynnag mae Houghton yn cydnabod y gall fod yna nifer fawr o fydysawdau eraill, bob un â'i briodoleddau gwahanol, ac y gallai hyn 'dynnu ymaith yr angen i'n bydysawd ni fod wedi'i ddylunio neu ei gywir-diwnio'n arbennig'.[50] Dyna ni felly ym myd dyfalu yn hytrach na phrofi.

Gwendid sylfaenol dadl John Houghton fodd bynnag yw'r hen un ynghylch yr achos cychwynnol. Os mai Duw a greodd y bydysawd, pwy neu beth a greodd Dduw? Dyna ni nôl gydag 'atchweliad diderfyn'. Fel y mae Dawkins yn dadlau wrth drafod chwe rhif y 'cysonau sylfaenol' (*fundamental constants*) a barodd i'n bydysawd ni fod yr hyn yw-e, 'buasai rhaid i Dduw a allodd gyfrifo gwerth y rhifau hynny fod o leiaf mor annhebygol â'r cyfuniad cywir-diwniedig o rifau ei hun'.[51] Mewn geiriau eraill, wrth ddefnyddio Duw i ddatrys problem creu'r bydysawd, yr hyn rydyn-ni'n ei gyflawni yw creu problem fwy dyrys fyth.

Y cwestiwn nad yw John Houghton yn mynd i'r afael ag e yw pam y mae'r byd y mae'n mynnu a gafodd ei gywir-diwnio er lles dyn mor ddifrifol o amherffaith i'r pwrpas hwnnw. Trafodaeth gwta ac anfoddhaol sydd ganddo ar y 'gwrthwynebiad moesol' yma i fodolaeth Duw. Y cysur mae'n ei gynnig yw bod Iesu, drwy ei aberth ar y groes yn 'ein cyflwyno i Dduw sy'n feistr ar drawsffurfio drygioni yn ddaioni rhagorach fyth'.[52] Mi drown at y cwestiwn yna yn yr adran nesaf wrth ystyried theodiciaeth Richard Swinburne. Ond yn gyntaf mae'n werth trafod ymdrech y diwinydd blaenllaw hwnnw i brofi bodolaeth Duw, sy'n cwmpasu peth o'r un tir â John Houghton, ond yn mynd ymhellach nag e.

Mae Richard Swinburne yn Athro Emeritws mewn Athroniaeth ym Mhrifysgol Rhydychen. Tan iddo ymddeol yn 2002 roedd-e'n Athro Athroniaeth y Grefydd Gristnogol ym Mhrifysgol Rhydychen. Mae'n awdur nifer helaeth o gyfrolau swmpus ac am dros 50 mlynedd bu'n gynheiliad dylanwadol i'r dadleuon athronyddol dros fodolaeth Duw'.[53] Yn ôl Walford Gealy mae'n sefyll 'ben ac ysgwydd yn uwch na neb arall' yn ei faes.[54] Rwyf am gyfeirio at ddarlith a chyfrol o'i eiddo sy'n dwyn yr un teitl.[55, 56]

Wrth gyflwyno'i ddadl mae Swinburne yn cyfaddef yn y lle cyntaf nad yw 'profion' Thomas o Acwin, sy'n seiliedig ar y dull didwythol (*deductive*) o resymu, yn dal dŵr mwyach ac yn troi felly, fel John Houghton, at y dull anwythol.[57] Yn ei farn e, mae'r rhagdybiaeth bod yna Dduw yn well esboniad na dim arall ar y cwestiynau canlynol:

1. Pam bod yna fydysawd ffisegol o gwbl?
2. Pam y mae'r deddfau ffisegol sy'n weithredol yn y bydysawd yn bod?
3. Pam mae gan fodau dynol gyfle i foldio'u cymeriadau a'u hamgylchedd er gwell neu er gwaeth?

Mae'n ychwanegu dau gwestiwn arall nad yw'n eu trafod yn ei draethawd:

4. Sut mae'r hanes dibynadwy am fywyd, marwolaeth ac atgyfodiad Iesu Grist gyda ni?
5. Pam y cafodd cynifer o bobl drwy'r oesoedd brofiad o fod mewn cysylltiad â Duw?.[58]

Rheswm cenhadol sydd gan Swinburne dros roi sylw arbennig i 'ddiwinyddiaeth natur', sef mater y ddau gwestiwn cyntaf: 'Gan fod cymaint yn fwy o amheuaeth am fodolaeth Duw yng Ngorllewin sgeptigaidd heddiw nag yn y rhan fwyaf o ddiwylliannau ac yn y canrifoedd blaenorol, mae'r angen am ddiwinyddiaeth natur lawer yn fwy nag erioed o'r blaen – er mwyn dyfnhau ffydd y credadun ac er mwyn troi'r anghredadun'.[59]

Apêl at dystiolaeth wyddonol yw diwinyddiaeth natur ond barn Swinburne serch hynny yw bod rhaid mynd y tu hwnt i wyddoniaeth i ddod o hyd i Dduw. Mae'n dadlau fel a ganlyn: Gall gwyddoniaeth drwy theori'r Glec Fawr esbonio'r broses a ddaeth â'r bydysawd i fodolaeth a disgrifio deddfau natur ond all hi ddim esbonio pam y mae'r deddfau yna'n bod. Er mwyn gwneud hynny, mae Swinburne yn awgrymu'r posibilrwydd (gan ddefnyddio'r gair 'efallai') o roi esboniad personol. Naill ai mae yna esboniad personol neu does dim esboniad o gwbl. 'Damcaniaeth (*hypothesis*) theistiaeth yw mai'r rheswm dros fodolaeth y Bydysawd yw bod yna berson dwyfol sy'n ei gadw mewn bodolaeth a bod deddfau natur yn gweithredu am fod yna berson dwyfol sy'n peri iddyn-nhw wneud hynny'.[60] Mantais arbennig i'r ddamcaniaeth yw ei bod yn cydymffurfio ag un o egwyddorion pwysig y dull gwyddonol, sef y dylid, hyd y gellir, ffafrio esboniadau syml.[61]

Mewn man arall mae Swinburne yn cynnig diffiniad o Dduw ei ddamcaniaeth: 'person heb gorff (hy ysbryd) sy'n... dragwyddol, yn berffaith rydd, yn hollalluog [o fewn terfynau rhesymeg], yn hollwybodol, yn berffaith dda ac yn greawdwr pob peth'. Ystyr 'tragwyddol' ganddo yw bod Duw 'wedi bodoli erioed ac y bydd wastad yn bodoli', nid ei fod yn 'ddiamser' neu 'y tu allan i amser'.[62] Mae'n gwrthod y safbwynt deistaidd bod Duw, yn dilyn y creu, wedi gadael y bydysawd i weithredu'n otomatig yn ôl y deddfau penodedig. I'r gwrthwyneb mae'n arddel y safbwynt 'bod Duw ar bob moment o hanes y byd yn gyfrifol am ei weithrediad ar y foment honno yn ei hanes'.[63] Ym mhennod olaf ei gyfrol, *'The Balance of Probability'*, mae'n cynnig profion rhesymegol ar ffurf hafaliadau mathemategol, yn seiliedig ar theorem Bayes. Ei gasgliad ar y diwedd yw: 'Mae profiad cynifer o bobl yn eu momentau o weledigaeth grefyddol yn ategu'r hyn y mae natur a hanes yn dangos sy'n eithaf tebygol (*quite likely*) – bod yna Dduw a wnaeth ac sy'n cynnal dyn a'r bydysawd'.[64]

Ystyriwyd cwestiynau 1-3 uchod eisoes wrth drafod gwaith Houghton, Dawkins a Grayling. Does dim dirgelwch o fath yn y byd yn fy marn i ynghylch cwestiynau 4 a 5: yn sicr does dim angen gweithredydd dwyfol i'w hesbonio.

Rwy'n cael naid Swinburne o dystiolaeth wyddonol – rhyfeddod y cread a'i ddeddfau – i esboniad personol anwyddonol yn od a dweud y lleiaf. Mae'n cyflwyno bodolaeth Duw fel cwestiwn o ffaith wrthrychol – naill ai mae'n bod neu dyw-e ddim yn bod. Rwy'n cytuno felly â Dawkins ar hyn: 'Mae'n ddiamheuol bod [cwestiwn] presenoldeb neu absenoldeb uwch-ddeall creadigol yn gwestiwn gwyddonol, hyd yn oed os nad yw-e, yn ymarferol – neu ddim eto beth bynnag – , wedi'i benderfynu'.[65] Welaf i ddim ychwaith pam na ellid derbyn yr ail o ddau opsiwn Swinburne, sef nad oes dim esboniad o fodolaeth y cread o fewn ein cyrraedd ni – neu ddim eto beth bynnag – a bodloni ar hynny.

Ynghylch profion mathemategol pennod olaf llyfr Swinburne, rwy'n gwbl analluog i farnu eu dilysrwydd. Yr hyn a wn i yw iddyn-nhw gael eu herio'n hyderus ar eu tir eu hunain gan feddylwyr eraill.[66]

Mae'r honiad bod Duw yn ateb syml i broblem

bodolaeth y bydysawd yn arwynebol ddeniadol nes i ni alw i gof y byddai rhaid i'r Crëwr tybiedig hwnnw gynnwys o'i fewn holl gymhlethdod ei greadigaeth ei hun ac ar ben hynny y medrau creadigol i'w ddwyn i fodolaeth yn y lle cyntaf. Sut wedyn mae gwneud synnwyr o ddatganiad Swinburne mai 'un syml iawn yw'r person dwyfol rhagosodedig (*postulated*)'?[67]

Cwestiwn y dychwelwn ni ato yn nes ymlaen yw pun a yw hi'n rhesymol i ddyn seilio'i ymdrech i ddod o hyd i ystyr yn ei fywyd, meithrin tangnefedd mewnol, dygymod â thrallodion ac adeiladu buchedd foesol ar ddamcaniaeth mor ansicr a dadleuol. Cwestiwn pellach fydd honiad Swinburne nad oes unrhyw bwynt i ymarfer Cristnogaeth heb i ddyn danysgrifio i'r ddamcaniaeth honno.[68]

Y Ddadl o Blaid: Daioni a Drygioni

Mae Swinburne yn 'theodiciad': un sy'n ceisio ateb y cwestiwn, pam y mae Duw da, sy'n caru ei greadigaeth, a phlant dynion yn enwedig, yn caniatáu presenoldeb drygioni yn ei fyd? Gan ei fod gyda'r blaenaf yn eu mysg mae'i ymdrech i ymrafael â'r broblem oesol hon yn teilyngu sylw manwl.[69]

Yn y lle cyntaf mae'n dadlau 'nad oes debygolrwydd mawr y byddai ymwybod moesol yn digwydd mewn bydysawd di-Dduw'. Yn ail, mae'n honni y byddai gan Dduw 'reswm arwyddocaol i ddwyn i fodolaeth fodau yn meddu ar ymwybod moesol'. A rheswm Duw dros roi ymwybod moesol i fodau dynol yw 'i roi iddyn-nhw ddewis rhydd rhwng da a drwg'.[70]

I Swinburne felly mae'r rhyddid i ddewis yn dda o'r radd flaenaf. Ymhellach, rhaid i'r rhyddid a'r dewis yna fod yn real: heb i'r dewis wneud gwahaniaeth real, twyll fyddai rhyddid ewyllys – a fyddai Duw da ddim am greu byd twyllodrus. Fodd bynnag mae'r cyfle sydd gan ddyn i wneud gwahaniaeth yn golygu o raid y bydd drygau gwirioneddol yn digwydd, ynghyd â phosibilrwydd llawer yn rhagor o ddrygau.

Mae hyn yn fater ymarferol yn ogystal â moesol. Mae'r ffaith fod y byd yn lle peryglus yn ddaearyddol er enghraifft wedi cynyddu'r dewisiadau sydd ar gael i ni a thrwy hynny wedi peri i ni ddysgu'r medrau angenrheidiol i oroesi. Mae'r digonedd rhyfeddol o ddewisiadau sydd ar gael i ddyn yn arwydd o haelioni Duw.[71]

O ran moesoldeb, mae rhaid wrth y rhyddid i ddewis rhwng y da a'r drwg fel bod modd i ddyn allu ffurfio ei gymeriad ei hunan er gwell neu waeth. Agwedd amlwg ar hyn yw'r dewis rhwng helpu eraill neu beidio â gwneud hynny; ac un ffordd a ddewisodd Duw o gynyddu'r dewis yna oedd drwy greu byd dirywiol (*world of decay*) lle mae poen yn bresennol. 'Mae'n byd ni yn fyd lle mae poen A yn creu rheswm dros ymchwil B a all, gyda chydweithrediad C, a chan ddefnyddio arian wedi'u rhoi gan D, arwain at ddarganfod achos y boen, y bydd E wedyn yn cynhyrchu cyffur i'w laesu, gydag arian oddi wrth F'. Presenoldeb poen mewn byd dirywiol felly sy'n creu'r cyfle am gydweithio allgarol, sydd yn ei dro yn ddaioni mawr iawn.[72] Ond fyddai-yna ddim allgaredd yn y cydweithio daionus yma heb fod yna ddewis i beidio'i wneud, gan anwybyddu poen A.

Cynsail rhesymu Swinburne yw'r bwriant na all hyd yn oed Duw wneud yr hyn sy'n rhesymegol amhosibl. Effaith hynny yw na all Duw, os yw-E am barchu ewyllys rydd dyn, beidio â chaniatáu iddo hefyd wneud drygioni. Fodd bynnag un o'r amodau y mae rhaid eu bodloni er mwyn cyfiawnhau bodolaeth drygioni yw y bydd y da a ddigwydd yn y pen draw yn fwy na'r drwg y bu rhaid wrtho i'w gyflawni. Ei farn e yw bod 'holl ddrygau'r byd mwy na thebyg yn gwasanaethu daioni o fwy'.[73]

Rhaid gwahaniaethu wrth gwrs rhwng drwg moesol, sef y drwg a wnaiff dynion i'w gilydd, a drwg naturiol, pethau megis clefydau, damweiniau a thrychinebau tebyg i ddaeargrynfâu a llifogydd.

Fel y gwelwyd mae'n gweld drwg moesol yn ganlyniad anochel i ryddid dyn i ddewis ond yn trafod serch hynny y gwrthwynebiad bod maint y drwg a'r dioddef yn y byd mor ofnadwy. Fodd bynnag buasai llai o ddioddef yn rhoi llai o gyfle i ddyn ddewis ac i gydymdeimlad a charedigrwydd flodeuo wrth ymateb i'r drwg. 'Mae pob ychwanegiad bach i nifer... y cyflyrau drwg yn gwneud ychwanegiad bach i nifer... y cyflyrau da'. Mae'n defnyddio gollwng y bom atomig ar Hiroshima yn enghraifft. Petai un person yn llai wedi ei losgi gan y bom, 'buasai yna un cyfle yn llai i ddewrder a chydymdeimlad; un darn yn llai o wybodaeth am effeithiau ymbelydredd atomig, llai o bobl (perthnasau i'r sawl a losgwyd)... i ymgyrchu dros ddiarfogi niwclear a helaethiad ymerodrol'.[74] Yn ôl Dawkins fe wnaeth bwynt cyffelyb am yr Holocost mewn dadl deledu gydag e.[75]

Mae'r un peth yn wir am ddrwg naturiol, ond mae un rheswm cyfiawnhaol pellach. Mae pob digwyddiad drwg yn agor y drws i 'fathau arbennig o werthfawr o ymateb emosiynol', a'r cyfle i ddyn arfer ei ryddid i wneud daioni neu beidio. Oni bai am ddrygioni naturiol byddai'r cyfleoedd yna'n llai a dim ond drwy wneud drygioni moesol dyn yn fwy erchyll nag yw-e y gallai Duw fod wedi gwneud iawn am y golled yna.[76]

Mae'n werth ychwanegu dau bwynt pellach. Mae Duw wedi trefnu drwy'r angau na fydd dioddefaint yr unigolyn yn ddiderfyn.[77] Yn ogystal, er ei fod yn anfoddog i gyfaddef y gall rhai pobl fod wedi profi at ei gilydd fwy o ddrygioni na daioni yn eu bywydau, mae Swinburne yn cynnig damcaniaeth bywyd ar ôl marwolaeth i wneud iawn am ddioddefiadau'r bywyd hwn. (Wrth gynnig hyn fodd bynnag mae'n cyfaddef ei fod yn 'cymhlethu theistiaeth ac felly'n lleihau ei thebygolrwydd.[78])

Mae ymresymiad Swinburne yn y gyfrol hynod hon wedi'i adeiladu'n rhesymegol gam wrth gam, yn anhygoel o fanwl ac yn llawn enghreifftiau eglurhaol. Rwyf am fentro rhai sylwadau o bersbectif y dyn cyffredin.

Ynghylch esbonio presenoldeb ymwybod moesol yn y byd, fe ddywedwn i mai mewn esblygiad, seicoleg a diwylliant y mae'r ateb, er bod yr esboniad hwnnw ar hyn o bryd yn anghyflawn iawn.

Mae honiad sylfaenol Swinburne bod Duw yn ddarostyngedig i ddeddfau rhesymeg (disgyblaeth academaidd yr awdur) yn taro'n rhyfedd. Os yw-e'n hollalluog, pam na allai Duw lunio rhesymeg amgen, yn union fel y lluniodd, yn ôl yr awdur, ddeddfau ffisegol (rhesymegol) y bydysawd?

Mae'r awgrym ei bod y tu hwnt i allu Bod Hollalluog i greu byd heb ddrygioni, neu heb gymaint o ddrygioni, tra'n sicrhau ystyr i fywyd dyn, yn fwy anghredadwy fyth. Ac wrth gwrs byddai iddo ddewis peidio creu byd felly, ag yntau'n gallu, yn gwneud nonsens o'r syniad ei fod yn oll-ddaionus. (Mae'n ddiddorol gyda llaw bod safbwynt Swinburne fel pe'n rhedeg yn groes i athrawiaeth y Cwymp: bod Duw wedi creu'r byd yn berffaith, a dyn wedi dewis pechu.)

Safbwynt Swinburne yw bod Duw yn caniatáu drygioni er mwyn rhoi'r cyfle i ddaioni (o fwy) gael ei amlygu. Os felly, oni ddylen ni, blant dynion, wneud yr un modd? Onid agorodd gweithredoedd echrydus Hitler y drws i ymatebion daionus? Ateb Swinburne yw bod gan Dduw, awdur ein bod, hawliau droson-ni nad oes gyda ni dros ein cyd-ddynion. Fydd yr ateb yna ddim yn argyhoeddi pawb ac mae codi'r cwestiwn ynddo'i hun yn dangos pa mor beryglus y gallai syniadaeth Swinburne fod.

Mae'r awgrym bod modd cloriannu faint y daioni y gall gweithredoedd drwg esgor arno i'w weld yn ddi-sail i fi. Gall pob un ohonon-ni dystio i ddigwyddiadau ingol y mae'n anodd iawn gweld daioni cyfatebol yn tarddu ohonyn-nhw. Dyma un enghraifft ar raddfa fawr iawn. Meddai Jared Diamond wrth ddisgrifio'r hyn a ddigwyddodd pan oresgynnwyd America gan luoedd Ewropeaidd. 'Ledled yr Americas, fe wasgarwyd clefydau a oedd wedi dod gyda'r Ewropeaid o lwyth i lwyth ymhell o flaen ymdaith yr Ewropeaid eu hunain, gan ladd rhyw 95% o'r boblogaeth Americanaidd frodorol'.[79] Mae'n mynd ymlaen i roi nifer o enghrefftiau eraill. Pwy a feiddiai osod trychineb mor aruthr i'w bwyso yn y glorian yn erbyn unrhyw ddaioni a ddeilliodd ohono?

Yn olaf, os oes rhaid cael y gallu i ddewis rhwng da a drwg er mwyn agor y drws i ddaioni, beth am y nefoedd, lle nad yw drygioni yn cael lle? Ateb cyfaill o ddiwinydd i fi oedd y byddai cymeriad dynion wedi cael eu ffurfio erbyn iddyn-nhw gyrraedd y nefoedd. Ond beth am y plentyn a fagwyd ar aelwyd gariadus ac na phrofodd greulondeb na thrallod ac a fu farw'n ddisymwth? Sut wedyn y ffurfid ei ch/gymeriad hi/e yn y byd a ddaw?

Mae ymosodiad eithriadol rymus ar syniadaeth Swinburne i'w weld gan Dewi Z. Phillips mewn cyfres o benodau o dan y teitl '*God's Morally Insufficent Reasons*', lle mae'n datgymalu bob yn un ac un resymau cyfiawnhaol Swinburne am ddrygioni'r byd. Mae'n rhybuddio y gall athronwyr sy'n eu cyflwyno'u hunain fel cyfeillion crefydd wneud mwy o ddrwg iddi na'r rhai sy'n ymosod arni. Yn fwy deifiol fyth mae'n nodi'r perygl i ddeallusion, wrth athronyddu, 'fradychu'r drygau y mae pobl wedi'u dioddef a thrwy hynny bechu yn eu herbyn'. Effaith hynny fyddai 'ychwanegu at y drwg yn y byd'.[80, 81]

Rwy'n siŵr y byddai Swinburne yn barod i ateb pob un

o'm sylwadau uchod i a thebyg y byddai'i resymeg yn ddi-fai. I fi mae'i resymu cordeddog-ddyrys a'i gasgliadau fel ei gilydd yn bisâr, yn grotésg hyd at fod yn wrthun. ('*Obscene*' yw gair Dewi Z. Phillips i ddisgrifio'r math yma o esboniadau.[82]) Efallai eu bod-nhw'n dangos lle mae rhesymeg yn arwain dyn wrth geisio esbonio cyflwr y byd yng ngoleuni damcaniaeth y Duwdod hollalluog. Callach efallai fyddai naill ai guddio'r tu ôl i athrawiaeth y Cwymp neu dderbyn bod y fath broblemau dyrys ymhell y tu hwnt i'n gallu ni i'w deall. Ond wnaiff hynny ddim o'r tro ychwaith, siawns.

Mi drown yn y man at ymdrechion Dewi Z. Phillips ac eraill i ddiffinio Duw a delio â phroblem drygioni mewn ffyrdd hollol newydd. Ond yn gyntaf rwyf am droi at syniadaeth Americanes hynod o ddysgedig a threiddgar sydd wedi cyfrannu at y drafodaeth gyfoes ynghylch y berthynas rhwng crefydd a gwyddoniaeth.

Y Ddadl o Blaid: Gwendidau Gwyddondeb
Nofelydd arobryn, traethodydd a darlithydd yw Marilynne Robinson. Mae'n Gristion o gefndir lled-efengylaidd ac yn edmygydd i John Calvin. Yn ôl Rowan Williams mae'n 'un o nofelwyr Saesneg mwyaf nerthol y byd' ac yn 'llais y mae angen taer i ni [ym Mhrydain] dalu sylw iddo'.[83] Mae'r sylwadau canlynol yn seiliedig ar ddwy gyfrol o'i thraethodau.[84, 85]

Testun edmygedd yw darganfyddiadau Gwyddoniaeth i Marianne Robinson. Mae'i hysgrifau'n frith o gyfeiriadau at orchestion llachar gwyddonwyr, yn datgelu rhyfeddodau'r cosmos ac yn enwedig ddirgelion ffiseg cwantwm. Yn hytrach na bod yn fygythiad i ffydd, ei barn hi yw y gall ein hymdeimlad o fawredd Duw gael ei helaethu'n ddirfawr wrth inni ryfeddu at wybodaeth wyddonol newydd. 'Does bosibl nad yw gallu gwneud hynny yn un o freintiau bywyd modern y dylen-ni i gyd fod yn ddiolchgar amdani'.[86]

Mae'i ffrewyll yn finiog ar y llaw arall ar wyddondeb (scientism), rhan, meddai hi, o arfogaeth yr atheistiaid newydd. Safbwynt gwyddondeb yw bod gwyddoniaeth empeiraidd wedi llwyr ddisodli pob ffordd arall o ddisgrifio'r byd.[87]

Mae'n cyhuddo'r gwyddondebwyr o ryw hyder sicr, cwbl ddi-gyfiawnhad, bod y chwyldro gwyddonol a chynnydd deallusol yn gyfystyr â'i gilydd. Sail meddylfryd felly yw 'r syniad o 'drothwy hanesyddol – gynt fel hyn roedden-ni'n meddwl ac yn awr, mewn oes newydd o ddealltwriaeth, rydyn ni, neu'r goleuedig yn ein mysg, yn meddwl fel arall'.[88] Felly pan fydd y gwyddondebwyr yn trafod hanes, mae'u pwyslais-nhw i gyd ar ffolineb a ffaeleddau'r gorffennol, sy'n para i'r graddau nad yw gwyddoniaeth eto wedi'u goleuo. Ymhellach, maen-nhw am esbonio popeth drwy ei rydwytho i'w elfennau materol cyfansoddol ac yn y broses yn gorsymleiddio ac yn cam-ystumio'r hyn sydd mewn gwirionedd yn ddibendraw o gymhleth a dirgel.[89]

Enghraifft dra arwyddocäol o hyn yw'r duedd i ddehongli allgaredd dyn yn nhermau hunan-les cuddiedig, agwedd sy'n tarddu, yn gam neu'n gymwys, o'r ddysgeidiaeth Ddarwinaidd mai'r frwydr gystadleuol i oroesi sy'n gyrru ymddygiad unigolion. Wrth ddehongli felly, mae ymdrech aruthrol dyn i ymddiwyllio (*culture-making*) yn cael ei diystyru fel math o 'ystryw, neu orchudd o fewn yr hwn y mae'r cyntefig dychmygedig, sef [i'r gwyddondebwyr] ein gwir natur, yn llechu'.[90] Gwelwyd enghraifft o berygl difrifol y math yma o ddadansoddiad yn awgrym Malthus[91], a Darwin o dan ei ddylanwad, bod rhyfel, ac yn wir dlodi enbyd, yn fecanweithiau anochel yn y gwaith o reoli'r boblogaeth. Effaith gweld pethau mewn termau felly – dyna duedd y gwyddondebwyr – yw cau cydymdeimlad a chydwybod allan o'r drafodaeth a gwadu'r caredigrwydd a'r allgaredd sy'n elfen ddiamheuol yn natur dyn.[92]

Ar lefel fwy sylfaenol, mae Robinson yn nodi'r ffordd y mae ymwadu â chrefydd yn enw rheswm a chynnydd wedi'i gysylltu â golwg gyfyng iawn ar alluoedd y meddwl dynol.[93] Yn groes i'r olwg grebachlyd yma ar ddynoliaeth, mae Marilynne Robinson am ei dyrchafu i wastad aruchel. Dyna i chi ryfeddod yr ymennydd dynol i ddechrau: 'y gwrthrych mwyaf cymhleth y gwyddys amdano yn y bydysawd', ag ynddo 'fwy o newronau nag sydd o sêr yn y Llwybr Llaethog'. Ymhellach, rhaid deall nad unwedd mo'r ymennydd â'r meddwl, sy'n rhyfeddach ac yn fwy dirgel fyth. Mae hwnnw yn ei dro yn ffurfio cyswllt â'r hunan, peth 'mor unigryw o firain a galluog' ag i deilyngu'i alw'n 'enaid, campwaith y cread'.[94] Creadur cwbl eithriadol yw dyn ac mae rhoi bri felly arno yn bwysig petai ddim ond 'er mwyn cyfyngu ar ysgogiadau gwaetha'r natur ddynol, a gollwng yn rhydd ei hysgogiadau gorau'.[95]

Yn ôl ei chyffes ei hun, dyneiddydd crefyddol yw Marilynne Robinson.[96] Beth felly yw natur y weledigaeth grefyddol sy'r tu ôl i'r ddyneiddiaeth?

Un agwedd yw'r pwyslais ar werth profiad goddrychol, yr hyn y mae'n ei alw'n 'fywyd ymdeimlol y meddwl' (*felt life of the mind*), mewn byd lle mae gwyddondeb wedi ennill yr afael drechaf. Un o gamgymeriadau diwinyddiaeth fu cyfaddawdu â'r bydolwg gwyddondebol yma, gan anghofio mai gyda 'phrydferthwch a [dieithrwch] yr enaid unigol' mae ei phriod le hi. Y goddrychol, meddai Robinson, yw 'hen, hen fangre duwioldeb a pharchedig ofn a meddyliau hirion hir'. Colli'r ymdeimlad yna, nid 'marw Duw', yw gwacter ystyr ein hoes ni.[97]

Mae awgrym yn y defnydd o'r gair 'goddrychol' mai dyn ei hun yw ffynhonnell yr ymdeimlad crefyddol, nid unrhyw realiti gwrthrychol, ond dyw Marilynne Robinson ddim am dderbyn gwahaniad mor bendant. Mae ffiseg cwantwm, meddai, yn cwestiynu mewn modd go radical pa mor ddilys yw gwahaniaethu rhwng y goddrychol a'r gwrthrychol.

Tebyg bod cysylltiad rhwng hyn â'i hargyhoeddiad mai cyfeiliornad yw gwahaniaethu rhwng yr ysbrydol a'r corfforol, o du diwinyddion yn gymaint â gwyddonwyr a gwyddondebwyr. Iddi hi, yr angen yw rhoi'r cyfryw ddeuolrwydd di-sail naill ochr er mwyn i ni gael ein 'hyfforddi yn nisgleirdeb di-ben-draw y cread'.[98]

A'r ffin rhwng y goddrychol a'r gwrthrychol mor annelwig, mor symudliw, mae modd parchu'r 'hynaf a'r mwyaf cyffredinol o'r sythwelediadau diwinyddol, sef bod y drefn a welwn-ni yn bod drwy orchymyn dwyfol, a bod y nefoedd yn datgan gogoniant Duw'.[99] Ynghylch statws dyn a'r ansicrwydd sy'n parhau am ei darddiad, mae Robinson yn cynnig 'rhyw fath o ddatrysiad. Beth petaen-ni'n dweud i fodau dynol gael eu creu ar lun a delw Duw?' Un o fanteision hynny fyddai ein 'harbed rhag creu diffiniadau o natur dyn sy'n fychan a chaeedig'.[100]

Mantais bellach fyddai diogelu'r syniad o werth cydradd pob unigolyn. Ar ieithwedd ac asiwmiadau Iddewig-Gristnogol, meddai Robinson, y tynnodd Thomas Jefferson wrth ddrafftio Datganiad Annibyniaeth America: 'Daliwn bod y gwirioneddau hyn yn hunanamlwg, i bob dyn gael ei greu'n gydradd, iddo gael ei gynysgaeddu gan ei Greawdwr â rhai Iawnderau diymwad, yn eu mysg Fywyd, Rhyddid a'r [hawl i] geisio Dedwyddwch'. Drwy ddefnyddio iaith felly, meddai, gwnaeth Jefferson y person dynol yn gysegredig. A'i dadl bellach hi yw bod yna bethau hanfodol nad oes modd eu dweud-nhw heb ddefnyddio termau crefydd, sydd yn eu tro yn cydnabod y dirgelwch hanfodol yn natur ac amgylchiadau dynoliaeth.[101]

Eithr nid unrhyw ddelfrydiaeth naïf yw sail mesuriad aruchel Robinson o'r natur ddynol. Crefydd sy'n ein dysgu hefyd i adnabod y duedd sydd ynon-ni i gyfeiliorni, ac yn ein rhybuddio yn erbyn y balchder sy'n arwain at gwymp. Nid cystadlu am yr un tir â gwyddoniaeth y mae crefydd ond gan ei bod yn ymwneud â'r natur ddynol, ac yn ein dysgu yn arbennig am ostyngeiddrwydd a myfyrdod, mae ei gwirionedd yn treiddio i bob agwedd ar fywyd. 'Gall gwyddoniaeth roi i ni wybodaeth, ond nid doethineb'. Gwaith crefydd yw hynny, dim ond iddi 'roi dwli a dargyfeiriadau o'r neilltu', gan gynnwys ffolineb credu mai dau beth gwahanol yw corff ac enaid.[102]

Gwaith caled yw darllen a deall meddyliau Marilynne Robinson ond fy marn i yw bod ei chyfraniad i'r ddadl gyfoes am grefydd yn eithriadol o werthfawr. Mae'i hymosodiad ar safbwynt rhydwythol rhai o'r awduron atheistaidd am foesoldeb yn hynod o bwysig (er na chynhwyswn i ddim o Dawkins na Grayling yn y gollfarn yna). Ynghlwm wrth hynny, mae'r bri y mae-hi'n ei roi ar ddyn – bod 'radical o unigryw'[103] – a rhyfeddod ei gyneddfau, ei hunan-ymwybod a'i allgaredd yn allweddol i feithrin cymdeithas wâr. Mae'i phwyslais ar hynodrwydd gwyrthiol bodolaeth yn gyfoethogol a bydd y sylw mae-hi'n ei roi i amwysedd ac anrhagweladwyedd y broses wyddonol yn agoriad llygad i lawer.

Ond mae agweddau eraill ar ei syniadaeth yn llai boddhaol. Nid fi yw'r un i farnu pa wersi y mae modd eu tynnu am grefydd o ffiseg cwantwm ond rwy'n ddrwgdybus o'r syniad bod canfyddiadau goddrychol ym maes crefydd yn debyg i ddarganfyddiadau ym maes gwyddoniaeth. Pa mor oddrychol ac ansicr bynnag y bo damcaniaeth wyddonol i gychwyn, tasg y gwyddonydd yw profi ei chywirdeb neu anghywirdeb drwy arsylwi, arbrofi a chyfrif mathemategol. Peth hollol wahanol yw'r 'sythwelediad' mai drwy orchymyn dwyfol y daeth y greadigaeth i fod, a diwerth fyddai ceisio profi atgyfodiad Iesu drwy astudio'r dystiolaeth empeiraidd.

Mae Robinson yn gweld y syniad o Dduw yn ddylanwad gwareiddiol pwysig ac yn ei amddiffyn o'r safbwynt yna. Mae'n ymgadw rhag mynd ymhellach a datgan, yn null Swinburne, ei bod yn ei weld fel realiti gwrthrychol; gwell ganddi adael y cwestiwn yn agored. Wyddon-ni ddim, meddai, beth yw ansawdd bodolaeth, a chyn belled ag y gwyddon-ni gallai bodolaeth ffeindio amryfal fynegiannau eraill na'r rhai sy'n gyfarwydd i ni. Mae'n dilyn mai arwynebol fyddai datgan bodolaeth, neu anfodolaeth, Duw. 'Y gwahaniaeth rhwng theistiaeth a'r wyddoniaeth atheistaidd newydd,' meddai wedyn, 'yw'r gwahaniaeth rhwng dirgelwch a sicrwydd. Crair yw sicrwydd, atafistiaeth, plisgyn y dylen-ni fod wedi tyfu allan ohono. Mae dirgelwch yn agored i bosibilrwydd, hyd yn oed ar y raddfa y mae ffiseg a chosmoleg erbyn hyn yn ei hymhlygu'.[104]

Fy nheimlad i yw bod Marilynne Robinson yn syrthio nôl ar resymu go wlanog er mwyn cyfiawnhau crefydd fel ffordd o ddehongli'r byd a'n pererindod ni ynddo. I'r Dyn Cyffredin, mae amryw byd o bethau y mae modd bod yn gwbl sicr o'u bodolaeth. Dro ar ôl tro fe brofwyd cywirdeb damcaniaethau gwyddonol drwy gampau technolegol megis llywio llongau gofod yn anhygoel o fanwl-gywir drwy'n system solar ni. Pen draw rhesymegol ymdriniaeth yr awdur angerddol-alluog yma yn fy marn i fyddai cydnabod mai un o ogoniannau y diwylliant dynol y mae hi'n ei edmygu gymaint yw Duw y crefyddau Abrahamaidd. Ond iddi hi byddai derbyn hynny yn golygu mynd un cam yn rhy bell.

Y Ddadl yn erbyn ac o blaid: Y Duw Amgen

Yn ail hanner yr 20fed ganrif cafodd adran Athroniaeth Prifysgol Abertawe ei chysylltu ag ymdrech i gyflwyno syniad amgen o Dduw, gan ddilyn yn arbennig yn ôl traed Ludwig Wittgenstein. Yn ystod y 40au byddai Wittgenstein yn treulio ei wyliau yn Abertawe ac yn ymweld yn gyson â'i gyn-efrydydd Rush Rhees, darlithydd mewn Athroniaeth yn y brifysgol yno. Cafodd Rush Rhees yntau ddylanwad enfawr ar Dewi Z. Phillips, a fu'n Athro Athroniaeth yn Abertawe, gan ddilyn J. R. Jones, rhwng 1971 a'i farw yn 2006. Dylanwad arall ar 'ysgol Abertawe' oedd Simone Weil. Nod amgen y traddodiad yma, yn ôl Walford Gealy, yw'r syniad bod 'rhai ffurfiau o weithgareddau dynol [gan gynnwys crefydd] yn gwbl naturiol – yno "fel ein bywyd" '- ac ymhellach fod 'iaith yn ystyrlon i'r graddau y mae'n gysylltiedig â gweithgareddau o'r fath'.[105]

Ffrwyth y traddodiad yna yw cyfrol Dewi Z. Phillips, *The Problem of Evil and the Problem of God* (gw troednodyn 79), yr wyf am geisio trafod ei neges yn yr adran yma.

Mae Phillips yn gosod ei syniadaeth am y pegwn â'r eiddo Swinburne a theodiciaid eraill megis Alvin Plantinga a John Hick.[106] Mae'n mynegi ei rwystredigaeth â'u syniad bod rhaid wrth ddrygioni moesol yn y byd er mwyn rhoi rhyddid ewyllys i ddyn fel hyn: 'All dyn ddim ond dyfalu beth yn y byd sydd wedi digwydd i athroniaeth, os gall arwain at y syniad bod yr Holocost, er mor enbyd o erchyll oedd-e, wedi ei gyfiawnhau drwy'r daioni mwy a ddeilliodd o ryddid ewyllys y rhai a'i rhoddodd ar waith'.[107] Tynged gysyniadol Duw, o fewn y paramedrau y mae'r rhan fwyaf o theodiciaethau yn eu cynnig, yw troi'n anghenfil (*monstrous*).

Fodd bynnag mae anghytundeb Phillips yn ehangach na hynny: mae a wnelo â'u holl ffordd-nhw o synied am Dduw.

Er mwyn ceisio deall ei safbwynt ar y cwestiwn canolog yma, mae'n haws dechrau gyda'r hyn nad yw'n ei gredu am Dduw.

Yn y lle cyntaf nid 'gweithredydd (*agent*) ymysg gweithredyddion' mohono[108] (ac yn gam neu'n gymwys, rwy'n cymryd hynny i olygu nad gweithredydd mo Duw o gwbl). Nid 'rhyw fath o endid' mohono chwaith.[109] Mae'n gwrthod y syniad o Dduw fel 'Ymwybyddiaeth Bur' ar y sail nad oes y fath beth i'w gael ag ymwybyddiaeth heb fod gan y bod dan sylw berthynas â bodau eraill; ac yn mynnu bod disgrifiad Plantinga o Dduw fel 'person heb gorff' (wedi'i gyfansoddi o 'Ysbryd') yn ddiystyr.[110] (Gan fod synio am Dduw fel person *â chorff* yn amhosibl, rwy'n cymryd nad person mo Duw o gwbl yn syniadaeth Phillips). Lawn mor ddiystyr, meddai, yw'r syniad o Dduw hollalluog. Byddai derbyn ei fod yn hollalluog yn golygu credu bod gan Dduw bwerau y mae'n dewis peidio â'u defnyddio: fel arall byddai rhaid gweld y creu, yng ngeiriau Rowan Williams, fel blerwch diffygiol.[111] Mae Phillips yn nodi rhybudd Rush Rhees ynghylch perygl defnyddio enw priod o gwbl mewn perthynas â Duw ac yn ei ddyfynnu yn gymeradwyol i'r perwyl y byddai ceisio chwilio er mwyn dod o hyd i'r hyn yw Duw yn 'abswrd'.[112]

Yn dilyn ei drafodaeth ar 'yr hyn na all Duw fod', mae'n cydnabod mai 'math o atheistiaeth' yw ei safbwynt. Fodd bynnag, mae'n mynnu mai 'atheistiaeth buredigol' yw-hi: puredigol yn yr ystyr ei bod yn ein rhyddhau oddi wrth syniadau sydd wedi drysu llawer o bobl a hefyd yn ein galluogi i ystyried math amgen o 'gred grefyddol'.[113]

Wedi ymwrthod â'r darlun cyfarwydd o Dduw (nid eiddo'r theodiciaid yn unig gyda llaw) mae Phillips yn dweud ei fod am fynd ymlaen i ddangos, serch holl hapddigwyddiadau enbyd y byd, 'bod llunio cysyniadau ynghylch Duw gras yn bosibl.[114]

Wrth geisio ymgodymu â syniadaeth Phillips mae'n bwysig cadw mewn cof yr egwyddor Wittgensteinaidd bod i grefydd ei hiaith benodol ei hun ac mai o fewn paramedrau'r iaith honno y mae barnu pa mor ddilys yw ei honiadau. Mae iaith empeiriaeth, sy'n seiliedig ar dystiolaeth a ffeithiau gwrthrychol profadwy, yn anaddas felly i drafod cysyniadau crefydd. Er mwyn deall ystyr dweud bod gan Dduw fodolaeth annibynnol, mai Fe a'n creodd-ni ac ati, yr unig le i edrych yw i'r 'iaith a'r ffurfiau ar fywyd lle mae ystyr y gred i'w ganfod'.[115]

Mae sôn am iaith yn ein harwain at drafodaeth Phillips ar 'draethiadau gramadegol' (*grammatical predicates*) Duw, y geiriau a ddefnyddiech chi i gwblhau brawddeg amdano. Ymysg y traethiadau yna y mae 'creawdwr', 'gras' a 'chariad'. Y traethiadau yma sy'n 'dangos i ni y math o realiti yr ydyn-ni'n siarad amdano. Nid pethau sy'n digwydd bod yn gysylltiedig â Duw ydyn-nhw ond enghreifftiau o'r hyn y mae 'Duw' yn ei olygu (hy yr hyn yw Duw). 'Yn wir,' meddai, 'gellid mynegi'r pwynt drwy ddweud... mai cyfystyron â "Duw", mewn rhai cyd-destunau, yw "creawdwr", "gras" a "chariad".' Mae'n cyfaddef mai beirniadaeth rhai athronwyr ar hyn yw nad oes modd siarad am ras, yn yr ystyr o rodd, heb ddangos bod yna Roddwr i'w rhoi. Ei ateb yw mai'r syniad cyfarwydd o Dduw fel gwrthrych ffisegol sydd wedi arwain at y camsyniad bod rhaid defnyddio cyfeirair gramadegol (*referent*, sef goddrych y frawddeg) sy'n annibynnol ar y traethiadau. Deall bod Duw yn un â'r nodweddion hyn yw ystyr honni mai 'realiti ysbrydol yw-E'. 'Mae'n meddwl-ni am Dduw yn anwahanadwy oddi wrth ein profiad o ras a'n diolchgarwch-ni amdano,' yn ôl John Cobb.[116]

Wrth i ni drafod cariad, yr un yw'r goddrych a'r traethiad. 'Beth os yw crefydd yn golygu'r hyn mae'n ei ddweud,' meddai Phillips 'mai cariad *yw* Duw, dim mwy a dim llai?' Beth felly am rym, nodwedd hanfodol yn y Duw hollalluog y mae Phillips wedi ymwrthod ag e? Ei ateb yw mai'r unig rym sydd gan Dduw yw grym cariad. 'Os yw Duw yn meddu ar rym a chariad [fel priodoleddau ar wahân] sut mae esbonio drygioni?'[117] Does a wnelo cariad pur Duw ddim byd â grym yn ystyr arferol y gair: gall gael ei wrthod a'i ddirmygu gan y sawl y mae'n anelu ato. Dyna yw neges y Gwas Dioddefus ac ystyr y Groes. Unig rym y cariad diamodol yma yw y gall helpu dynion i ddod yn blant i Dduw.[118]

Mae Phillips yn cynnig, yma a thraw yn ei gyfrol, fyfyrdod estynedig ar yr Holocost. Er i ffieidd-dra didrugaredd yr erledigaeth lofruddiol yma dorri ysbryd rhai (pwy ŵyr pa nifer?) yn llwyr ac yn gyfangwbl, mae yna enghreifftiau o rai a gadwodd eu hintégriti a'u ffydd.[119] Posibilrwydd parhau i gredu yng ngrym cariad mewn amgylchiadau mor eithafol â hynny meddai Phillips yw ystyr y cyfamod tragwyddol: mae'n gwrthod yn llwyr y syniad o gyfamod rhwng Duw a'i bobl fel math o gontract rhwng partneriaid sy'n rhannu'r un safonau moesegol.[120]

Gweithred o ras a chydymdeimlad (*compassion*), nid gweithred o rym, yw'r creu ac mae gweld bywyd yn nhermau gras, fel rhodd nas haeddwyd, yn hanfodol i ffydd y credadun. Gweld bywyd felly yw ystyr credu mewn Creawdwr. Nid trafod ffeithiau sydd yma ond yn hytrach y ffordd grefyddol o weld y byd. 'Pe bai dyn yn grefyddol, byddai modd i ddyn ddweud bod gallu gweld bywyd fel gras yn ras ynddo'i hun'.[121]

Mae llawer iawn o ymresymiad Phillips yn awgrymu mai ffordd o weld y byd, nid cydnabyddiaeth o unrhyw realiti allanol i ddyn, yw crefydd ac mai enw ar agweddau gorau'r natur ddynol – cariad, gras, creadigedd, cydymdeimlad a gostyngeiddrwydd, i enwi rhai – yw 'Duw'. Dyna, fel y deallaf i hi, yw beirniadaeth John Hick o'i safbwynt – nad yw'n cydnabod Duw fel realiti gwrthrychol ond fel creadigaeth oddrychol meddwl a diwylliant dyn: dyna ystyr cyfeirio at y 'traethiadau dwyfol' heb fod yna 'enw' (*substantive*) i'w cynnal. Mae Phillips fodd bynnag yn gwadu hynny. Nid fel 'rhyw ddim byd ansylweddol (*ethereal nothing*) y mae'n gweld Duw.[122]

Mae'n cynnig amddiffyniad estynedig yn erbyn pump o feirniadaethau Hick[123] ac mae'n werth ystyried un ohonynnhw yn arbennig. Meddai Hick, 'Mae'n arferol gan [Phillips] a'i ddilynwyr ddweud bod y cwestiwn, a yw Duw yn bod yn annibynnol ar ein cred ni fod Duw yn bod, yn gwestiwn anghywir (*wrong question*)'. Ateb Phillips yw nad dweud bod y cwestiwn yn anghywir y mae-e. Yn hytrach mae'n 'cydnabod bod annibyniaeth realiti Duw o'r hyn y mae'r credadun yn ei gredu yn chwarae rhan ganolog mewn credo crefyddol'. Rhaid i fi ddweud bod gen i gryn gydymdeimlad â chais Hick i gael ateb clir i'w gwestiwn a mod-i'n cael ymateb Phillips yn anfoddhaol. I bob pwrpas mae'n defnyddio'r ffaith fod crefyddwyr yn credu ym modolaeth annibynnol Duw fel dadl o blaid credu ym modolaeth annibynnol Duw. Mae hynny'n swnio fel tawtoleg i fi. Byddai ateb strêt wedi dweud nad realiti gwrthrychol mo Duw – hynny yw, a siarad mewn termau gwrthrychol, nad yw Duw'n bod – ond bod dyn wedi, ac yn, defnyddio'r cysyniad o Dduw er mwyn ei alluogi i weld y byd mewn ffordd arbennig.

Wedi ceisio ribytio beirniadaeth Hick mae'n dweud: 'Mae hyn yn gadael i ni'r dasg o egluro yr hyn rydyn-ni'n ei feddwl wrth fodolaeth annibynnol Duw, gan ddweud mai efe yw'n creawdwr, a oedd yn bod cyn ffurfio'r ddaear ac ati. I ble yr edrychwn-ni i weld beth yw hyd a lled y credoau hyn... ond i'r iaith a'r ffurfiau ar fywyd lle mae'r credo yn gwneud synnwyr?' Apelio y mae-e yma at egwyddor Wittgenstein y dylid ystyried dilysrwydd honiadau crefydd yn nhermau iaith crefydd. Popeth yn iawn, ond oni ddylai ddweud yn glir mai iaith myth, trosiad a symbol, iaith canfyddiad goddrychol a dychymyg dyn, yw iaith felly?

Rwy'n cael trafferth gyffelyb gyda'r defnydd o baradocsau wrth drafod perthynas Duw a'r byd. Gan gyfeirio at sylw Simone Weil bod Duw yn bresennol yn y byd ar ffurf absenoldeb, mae'n dweud: 'Y cyfan y mae'r sylw ymddangosiadol baradocsaidd yma yn ei olygu yw bod cydnabod ym mha ystyr y mae Duw yn absennol o'r byd yn rhag-amod cysyniadol i gydnabod ym mha ystyr y mae Duw'n bresennol ynddo', ee drwy ein cynnal ar adeg o ddioddefaint.[124] Beth bynnag am ei absenoldeb, onid ystyr bod 'Duw'n bresennol yn y byd' yw bod dyn yn penderfynu defnyddio'r cysyniad o Dduw er mwyn gweld ei bicil yn y byd o bersbectif arbennig – mewn ffordd grefyddol? Ac onid yw defnyddio'r gair 'cysyniad', fel y mae Phillips yn gwneud yn barhaus, yn gyfaddefiad mai o feddwl dyn, nid o ryw realiti gwrthrychol allanol, y mae'r weledigaeth yna'n tarddu.

Efallai mai amharodrwydd Phillips i ddatgan hyn oll yn blwmp ac yn blaen yw'r rheswm bod John Hick wedi methu, dros gyfnod o 34 blynedd, â bod yn glir ynghylch ei ddaliadau ac nid unrhyw fethiant ar ran Hick ei hun, fel y mae Phillips, yn nawddogol ddigon, yn awgrymu.[125]

Yn olaf, er i Phillips ymwrthod â'r syniad bod Duw yn rhyw fath o weithredydd personol mae'n cyfeirio ato nawr ac yn y man yn yr union dermau hynny. Wrth sôn am garu Duw fel peth gwerthfawr ynddo'i hun mae'n dweud bod 'deilliannau eraill, yn dilyn hynny, yn llaw Duw'.[126] Onid yw hynny'n awgrymu bod Duw'n penderfynu peri i rai pethau ddigwydd ac felly'n gweithredu fel gweithredydd? Mae-e hefyd fel pe'n cymeradwyo disgrifiad Kierkegaard o Dduw yn dod i'r byd, drwy'r ymgnawdoliad, ar ffurf cardotyn, 'mewn ymdrech i'n gwneud-ni'n eiddo iddo'. Felly hefyd ddisgrifiad Simone Weil o fwriad Duw, drwy'r creu, i sefydlu 'teyrnas arall... na theyrnas Dduw'.[127] Yn y ddwy enghraifft yna yr awgrym yw bod Duw ar waith yn y byd.

Rwy'n cael gweledigaeth Dewi Z. Phillips yn hynod o waraidd a goleuedig a'i gritic angerddol-finiog o'r theodiciaid yn gwbl argyhoeddiadol. Teg yw cydnabod hefyd arwriaeth ei ymdrech i roi sylwedd newydd yn y cysyniad o Dduw. Fodd bynnag mae'i barodrwydd i gymylu'r ffin rhwng y goddrychol a'r gwrthrychol yn fy marn i yn gwanhau dilysrwydd ei dystiolaeth. Hynny sydd hefyd yn agor y drws i ymosodiad y theodiciaid arno.

Cyflwynwyd cyfrol Dewi Z. Phillips i gyn-Archesgob Cymru a Chaer-gaint, Rowan Williams, diwinydd o fri, sy'n cael ei ddyfynnu'n gymeradwyol fwy nag unwaith ynddi. Gellid tybio felly bod y ddau yn perthyn i'r un gwersyll diwinyddol. Mae rhai o draethiadau Williams fodd bynnag yn galw hynny i gwestiwn.

Myfyrdod yw *Lost Icons* ar unigolyddiaeth remp yr oes, a'r ffordd y collwyd gafael ar 'ymgom' rhwng unigolion a'i gilydd er mwyn ffurfio cymdeithas yn meddu ar gyd-ymddiried a chydsefyll.

Tua diwedd y llyfr y mae Williams yn cyflwyno cwestiwn Duw i'w drafodaeth gymdeithasol-ddiwylliannol. Ffordd yr awdur i mewn i'r pwnc yw pwysleisio'r angen i ddynion, mewn ymgom, i gydnabod 'ein cydfodolaeth mewn amser, ein cydfodolaeth fel rhodd'. Mewn Iddewiaeth, Cristnogaeth ac Islam mae'r math yma o berthynas yn cael ei gwreiddio 'mewn addoliad o Dduw nad oes modd negodi ag E, nad oes ganddo fuddiant i'w amddiffyn ac y mae ei weithgarwch creadigol felly yn rhodd rad-ac-am-ddim'.[128] Ymhellach, mae'n hangen seicolegol ni – angen ein 'heneidiau' ys dywed Williams – am ras yn peri i ni, wedi i ni ymryddhau o'n chwantau a'n hanghenion arferol, estyn gwahoddiad i'r hyn na wyddon-ni beth yw-e – yr 'Arall nad yw'n bod' neu'r 'Arall absennol', i ddod aton-ni.[129]

A yw Williams yn gweld y presenoldeb yma fel realiti gwrthychol, fel y byddai Hick, Plantinga a Swinburne yn deall hynny? Y cyfan a ddywed yw bod y crefyddau Abrahamaidd, yn wahanol i Fwdiaeth, yn gweld yn yr Arall 'rywbeth yn debyg i ddeall a gweithrediad', a bod Cristnogaeth yn manylu ymhellach drwy ddal 'bod Duw, yn gynhenid ac yn annibynnol ar y bydysawd, yn "system" neu batrwm o asiantaeth', sef y Drindod.[130]

Yn *Meeting God in Mark*, mae'n dadlau mai pwrpas yr efengylydd yw atgyfnerthu ffydd y Cristion mewn Duw 'nad yw'n camu i lawr o'r nefoedd i ddatrys problemau ond sydd eisoes yng nghalon y byd, yn dal y dioddefaint ynddo'i hun ac yn ei drawsffurfio drwy egni anninistriol ei drugaredd a dim mwy'. Ymhellach, 'tuag allan, o wreiddyn bod (*the heart of being*) y mae'n gweithredu, gan helaethu cwmpas ei weithredoedd drwy weithredoedd y bodau y mae wedi'u creu'.[131]

Mae'r math yma o siarad yn adlewyrchu syniadau Tillich, Esgob Woolwich a J. R. Jones am Dduw, nid fel rhywbeth 'allan fanna', ond fel gwreiddyn neu lawr bod. Fodd bynnag, serch bod Williams yn rhybuddio rhag gweld Duw ar ddelw dyn, mae'r Duw hwnnw yn dod drosodd fel bod personol. Efe, er enghraifft, sydd wedi dewis bod, a bod yn hysbys, yn ei ddioddefaint ym 'man isaf, gwannaf, profiad dyn.[132]

Mae'r olwg yna ar y Duwdod i'w gweld hefyd yn nhraethawd hynod broffwydol, ingol, Williams, *Writing in the Dust*, a gyfansoddwyd yng nghysgod trychineb Dau Dŵr Efrog Newydd, Medi 11, 2001. Roedd Williams yn cymryd rhan mewn trafodaeth estynedig ar 'ysbrydolrwydd' mewn adeilad cyfagos pan drawodd awyrennau'r terfysgwyr y ddau dŵr. Am ychydig roedd e a'i gyd-drafodwyr yn argyhoeddedig mai angau a oedd yn eu hwynebu a chael-a-chael fu hi i ddianc o'r adeilad a'r cyffiniau. Prif berwyl y traethawd yw ystyried sut y dylid ymateb i'r ymosodiad mewn termau moesegol-wleidyddol ac mae'r dadansoddiad yn dreiddgar, yn ddi-dderbyn-wyneb, yn ddi-ofn ac eto'n gytbwys. Pe bai'r Unol Daleithiau a Phrydain wedi cymryd ei gyngor mae'n bosibl iawn y buasai hanes y Dwyrain Canol a'r byd Moslemaidd ers hynny yn wahanol ac yn well.

Dargyfeiriad oddi wrth brif lwybr ei ddadl yw'r hanes am beilot awyrennau Catholig a'i cyfarchodd yn y stryd drannoeth y gyflafan, ond mae'n ddargyfeiriad hynod o arwyddocaol. 'Beth uffern oedd Duw yn ei wneud pan drawodd yr awyrennau?' oedd cwestiwn y gŵr ifanc. Ffwndrus ddigon, yn ôl ei gyfaddefiad ei hun, oedd ymateb yr archesgob, bod 'Duw yno yng ngwaith aberthol yr achubwyr, yn y risgiau maen-nhw'n eu cymryd'. (Mae geni gof amdano'n ymateb mewn termau cyffelyb yn dilyn tswnami 2004). Yn y llinellau dilynol mae'n cyfaddef sut y mae 'ei hegwyddorion diwinyddol gofalus' yn cael eu profi i'r eithaf mewn amgylchiadau fel hyn: 'gwrthodiad Duw i ymyrryd â rhyddid creedig; iddo 'wneud byd fel na all dewisiadau drygionus gael eu lluddias neu eu herthylu jest fel'na'; bod rhaid eu 'cyfwynebu, eu goddef, eu symud ymlaen, eu hiachau ym mhroses gymhleth hanes dynol, wastad mewn cydweithrediad â'r hyn ryn-ni'n ei wneud ac yn ei ddweud ac yn gweddïo amdano'. Ac yna, wele'r datganiad, un cwbl ddiamwys o'r diwedd: 'Rwy *yn* credu hynny'.

Mae yna gafeat yn dilyn y datganiad, sef bod angen gweithredoedd cyn i'r geiriau roedd-e wedi'u llefaru fagu ystyr ac argyhoeddiad. Cyfaddefiad hefyd: na fu'r geiriau fawr iawn o help i'r Cristion ifanc o beilot a oedd efallai wedi sylweddoli am y tro cyntaf iddo 'ymrwymo wrth

Dduw a allai ymddangos yn ddiwerth mewn argyfwng.'[133]

Ond mae'r datganiad yn sefyll, sy'n golygu, hyd y gwelaf i, ac yn gwbl annisgwyl, bod Rowan Williams yn coleddu elfennau o theodiciaeth Swinburne, Hick a Plantinga, yr 'etifeddiaeth broblematig' y mae y mae Dewi Z. Phillips yn gwaredu rhagddi ac y mae ymwrthod â hi yn gyfystyr ag 'atheistiaeth buredigol.'[134]

Mae yna dir cyffredin serch hynny rhwng Rowan Williams ar y naill law a Dewi Z. Phillips ac 'ysgol Abertawe' ar y llall. Yn arbennig maen-nhw'n dal, gan ddilyn Wittgenstein, bod cysyniadau diwinyddol yn cael eu cyfiawnhau yn nhermau'r disgwrs crefyddol a esgorodd arnyn-nhw, ar eu telerau'u hunain, yn annibynnol oddi ar ystyriaethau empeiraidd. Mae'r amharodrwydd i ddatgan yn glir serch hynny mai yn nhermau myth, symbol a throsiad, nid realiti gwrthrychol a ffaith, y mae deall yr hanesion a'r syniadau yn drawiadol.

4 Crynhoi

Sut mae cloriannu'r ymdrech rannol, annigonol uchod i grynhoi prif elfennau y ddadl gyfoes am grefydd ac yn arbennig am fodolaeth Duw?

Parthed y cwestiwn, ai peth drwg neu beth da yw crefydd, rwy'n cael safiad yr atheistiaid yn hynod o arwynebol a detholgar. Yn y bôn cymysgu y maen-nhw rhwng achosion ac amlygiadau. Yr her y maen-nhw'n ei osgoi yw deall beth yw'r ffactorau sydd (a) yn esgor ar gredoau crefyddol sydd ag elfennau ffiaidd yn eu craidd – aberthu dynol er enghraifft – neu (b) yn peri i grefyddau y mae eu hanfod yn oleuedig gael eu gwyrdroi i ddibenion ffiaidd megis dileu 'heresi' neu hyrwyddo rhyfel. Gall yr achosion yna fod yn gymdeithasol, yn economaidd, neu'n tarddu o anwybodaeth a syniadau cyfeiliornus, neu o'r gynddaredd ddialgar sy'n llechu'n ddwfn yng ngwneuthuriad seicolegol dyn. Does dim gwadu fodd bynnag nad yw argyhoeddiad crefyddol yn ffactor cyfraniadol mewn sefyllfaoedd o densiwn a gwrthdaro ac y dylai crefyddwyr goleuedig warchod rhag, ac yn ôl y gofyn, gondemnio hynny. Ar y llaw arall mae amharodrwydd yr awduron atheistaidd yma i gydnabod cyfraniad cadarnhaol difesur crefydd i fywyd y ddynoliaeth yn adlewyrchu mesur annerbyniol o ragfarn.

Parthed bodolaeth Duw, o'i ddiffinio yn nhermau cyfarwydd y Bod Goruwchnaturiol hollalluog a holl-ddaionus sy'n gyfrifol am y bydysawd, rwy'n barnu bod yr atheistiaid yn ennill y ddadl yn ddigamsyniol. Gall dyn resynu ar dro at ffyrnigrwydd eu hymosodiad ond rhaid cydnabod bod cryfder eu teimladau a'u mynegiant yn ddealladwy yn wyneb adwaith gwrth-ddeallol ffwndamen-taliaeth, ac yn wir geidwadaeth grefyddol, yn ein cyfnod ni. Maen-nhw'n dygyfor eu tystiolaeth a'u rhesymeg yn rymus effeithiol, tra bod rhesymeg crefyddwyr ceidwadol priff-ffrwd, megis Swinburne ar gwestiwn bodolaeth Duw a phroblem drygioni yn y byd, yn eu harwain i gors anobeithiol.

Beth felly am ymdrech oleuedig, arwrol yn wir, Dewi Z. Phillips a Rowan Williams, ac i ryw raddau Marilynne Robinson, i gynnig dehongliad newydd o Dduw? Un o'r problemau gyda'u hymdrechion yw pa mor astrus, ac amwys hefyd, yw eu disgwrs. Mae'n bosibl i fi, yn y crynodebau uchod, gamddehongli agweddau o'u safbwyntiau. Os felly, un o'r esgusion sydd geni yw pa mor anodd fu rhoi fy mys ar beth yn union yr oedden-nhw'n ei gredu. Yn benodol rwyf wedi ei chael yn amhosibl penderfynu pun a ydyn-nhw'n gweld y Duw y maen-nhw'n ei arddel yn fod gwrthrychol real neu ynteu'n rhywbeth sy'n perthyn i fyd dychymyg, myth, symbol a metaffor? Os yr ail, cyn belled ag y gallaf i weld, cynnyrch goddrychol meddwl dyn yw-e, ond yn eu hysgrifeniadau nhw mae'r ffin rhwng y gwrthrychol a'r goddrychol yn un go gymylog. Bydd y Dyn Cyffredin – honno/hwnnw rydw i'n ei ch/gynrychioli yma – yn deall beth yw Duw Swinburne ac i raddau cynyddol y dyddiau hyn yn ei gael yn anghredadwy ac yn annerbyniol. Wrth ddod wyneb-yn-wyneb â 'thraethiadau gramadegol' Dewi Z. Phillips, paradocsau Simone Weil ac Arall Absennol Rowan Williams, y perygl yw y bydd yn eu cael, nid yn anghredadwy, ond yn annealladwy.

Nodiadau

1 'The New Atheism', Wikipedia
2 Richard Dawkins, *The God Delusion*, Black Swan 2006
3 'Salman Rushdie', Wikipeidia
4 *The God Delusion*, tt 321-3
5 dyfyniad yn AC Grayling, *The God Argument*, Bloomsbury, 2014, t 125
6 *The God Delusion* t 323
7 ibid tt 317-48
8 Ar ewthanasia ac erthylu gweler hefyd 'Humanism, Death and the Ends of Life', yn *The God Argument* tt 217-36
9 *The God Delusion*, tt 333-6
10 ibid tt 23-4
11 Ronnie S. Landau, *The Nazi Holocaust, Its History and Meaning*, IB Tauris, 2006, tt 38-47
12 *The Case for God* t 137
13 Dyfyniad yn *The God Delusion* t 312
14 ee Rhiannon Ifans, *Yn Dyrfa Weddus*, Cymdeithas Lyfrau Ceredigion, 2003, tt 50, 120

[15] Jared Diamond, *The World until Yesterday*, Allen Lane 2012, t 50(12)

[16] Llyfr yr Actau, 17, 26

[17] 'The Troubles', Wikipedia

[18] 'Great Purge', Wikipedia

[19] 'Cultural Revolution' a 'Great Chinese Famine', Wikipedia

[20] 'Pol Pot', Wikipedia

[21] 'Social Darwinianism', 'Nazi Eugenics', Wikipedia

[22] *The God Delusion* t 307

[23] practicalspirituallife.com 23/11/2013

[24] *The God Delusion*, t 52

[25] *The God Argument*, t 24

[26] *The God Delusion* t 101

[27] ibid tt 132-136. Gweler hefyd 'Pascal's Wager' a 'Bayes' Theorem', Wikipedia

[28] *The God Argument* tt 66-126

[29] *The God Delusion* tt 137-89

[30] ibid t 141

[31] ibid tt 151, 159

[32] 'Anthropic principle', Wikipedia

[33] *The God Delusion* t 168

[34] Teleoleg yw'r egwyddor bod yna fwriad neu bwrpas y tu ôl i ffenomenau naturiol. Gw 'Teleology', Wikipedia

[35] *The God Argument*, tt 79-80

[36] ibid, t 118

[37] *The God Delusion* t 144

[38] 'John T. Houghton', Wikipedia

[39] John Houghton, *The Search for God, Can Science Help?* 1995, adargraffiad Regent College Publishing 2007

[40] Crewyd Sefydliad Templeton gan y ffilanthropydd Americanaidd John Templeton i noddi ymchwil mewn: Gwyddoniaeth a'r Cwestiynau Mawr, Datblygu Rhinwedd Cymeriad, Talent a Gallu Gwybyddol, Geneteg ac, yn arwyddocaol iawn, Ryddid Unigol a Marchnadoedd Rhydd. Mae'n rhan felly o'r mudiad neogeidwadol a ddylanwadodd gymaint ar bolisi economaidd a chymdeithasol dros y 30

mlynedd ddiwethaf. Gw 'The John Templeton Foundation',
www.templeton.org

[41] *The Search for God* tt 17-18, 48
[42] ibid 'The Big Bang and All That" tt 24-35
[43] ibid tt 36-46
[44] ibid tt 47-8
[45] ibid t 49
[46] ibid t 142
[47] Llyfr yr Actau, Penodau 27-28
[48] *The Search for God*, tt 64-8
[49] ibid tt 69-76
[50] ibid, t 42; hefyd *The God Delusion* tt 173-6
[51] *The God Delusion* tt 169-70
[52] *The Search for God* tt 187-8
[53] 'Richard Swinburne', Wikipedia
[54] Walford Gealy, 'Athroniaeth Crefydd yn yr Ugeinfed Ganrif' yn E. Gwynn Matthews (gol), Cred, *Llên a Diwylliant*, sef cyfrol deyrnged Dewi Z. Phillips, Y Lolfa, 2012
[55] Richard Swinburne, 'The Existence of God', ar gael drwy gwglo 'Swinburne lecture Existence of God'.
[56] Richard Swinburne, *The Existence of God*, 1979, ailolygiad 2004, argraffiad 2014
[57] 'The Existence of God', t 4
[58] ibid t 1
[59] ibid tt 3-4
[60] ibid tt 8-10
[61] ibid t 6
[62] *The Existence of God*, t 7
[63] ibid t 94
[64] ibid tt 328-42
[65] *The God Delusion*, t 82
[66] gw ee Gabe Czobel, infidels.org/library/modern/gabe_czobel/swinburne.html
[67] 'The Existence of God' t 14
[68] ibid t 2
[69] 'Theodicy' Wikipedia

70 *The Existence of God* t 218
71 ibid tt 219-20, 222
72 ibid t 226
73 ibid tt 237-8
74 ibid t 263-4
75 *The God Delusion* t 89
76 *The Existence of God* tt 240-1
77 ibid t 229
78 ibid tt 260-1
79 Jared Diamond, *Guns, Germs and Steel*, 1997, argraffiad Vintage, 2005
80 Athronydd sy'n dilyn trywydd tebyg i'r eiddo Swinburne yw Alvin Plantinga, un o arweinwyr deallusol mudiad efengylaidd yr Unol Daleithiau. Gw 'Alvin Plantinga', Wikipedia
81 Dewi Z. Phillips, *The Problem of Evil and the Problem of God*, SCM Press 2004, tt xi, 48-110, 274
82 ibid
83 'Marilynne Robinson', Wikipedia
84 Marilynne Robinson, *Absence of Mind*, Yale University Press, 2010
85 Marilynne Robinson, *When I was a Child I read Books*, Virago 2012
86 *When I was a Child* t 11
87 'Scientism,' Wikipedia
88 *Absence of Mind*, t 5
89 ibid t 125
90 ibid t 134
91 Dysgeidiaeth Malthus (1766-1834) oedd y byddai cynnydd mewn poblogaeth o ganlyniad i ffyniant economaidd yn cael ei atal yn anochel yn y pen draw gan dlodi, newyn a drygioni dyn. Gw 'Thomas Robert Malthus' Wikipedia.
92 *Absence of Mind* t 42
93 ibid t 75
94 *When I was a Child*, t 8
95 *Absence of Mind* tt 32, 133
96 *When I was a Child*, t 199

[97] *Absence of Mind*, t 34-5
[98] *When I was a Child* t 11
[99] *Absence of Mind* t 122
[100] *When I was a Child*, t 158
[101] ibid tt 162-3
[102] ibid tt 17-18
[103] ibid t 147
[104] ibid t 197
[105] Walford Gealy, op cit, tt 35-6
[106] 'John Hick', Wikipedia
[107] *The Problem of Evil and the Problem of God*, t 177
[108] ibid tt 148-51
[109] ibid t 225
[110] ibid tt 155-6
[111] ibid tt 13-4, 178
[112] ibid tt 189, 191
[113] ibid tt 156-9
[114] ibid t 141
[115] ibid t 171
[116] ibid tt 186-191
[117] ibid t 199
[118] ibid t 201
[119] ee ibid cit t 269
[120] ibid, Pennod 7, 'God, Contracts and Covenants'
[121] ibid t 183
[122] ibid t 188
[123] ibid tt 167-72
[124] ibid t 180-1
[125] ibid t 171
[126] ibid t 162
[127] ibid t 179
[128] Rowan Williams, *Lost Icons*, T & T Clark 2003, t 198
[129] ibid t 215
[130] ibid tt 222-3
[131] Rowan Williams, *Meeting God in Mark*, SPCK 2014, t 47, 43
[132] ibid t 61

133 Rowan Williams, *Writing in the Dust, Reflcetions on 11th September and its Aftermath*, Hodder and Stoughton, 2002, tt 6-8

134 'Our Problematic Inheritance yw teitl Rhan 1 *The Problem of God and the Problem of Evil*

Pennod 4

Dechrau o'r Newydd

1 Amau, Cefnu, Colli

Yng Nghymru heddiw mae'n arferol gan lawer synnu, os nad gresynu, at goláps crefydd mewn cenedl y moldiwyd ei hanes i gymaint graddau ganddi. Efallai mai rhyfeddach na chyflymdra'r dirywiad fodd bynnag yw pa mor gyndyn, pa mor amharod i farw, y bu ymlyniad at grefydd a'r syniad o Dduw gydol yr ugeinfed ganrif ac i mewn i'r un bresennol.

Ymdrech yw Pennod 1 y llyfr hwn i fraslunio'r tyndra dros y cyfnod hwnnw rhwng methu credu yn Nuw ar y naill law a glynu wrtho, neu o leiaf wrth ymarfer crefydd, ar y llaw arall.

Ymhlith 'Y Tystion' a gefnodd ar gapel neu eglwys roedd dau faen tramgwydd. Un oedd yr angen i dderbyn y goruwchnaturiol. Y llall oedd problem cysoni bodolaeth Duw â chyflwr y byd. Ymysg mwyafrif y rhai a ddaliodd i fynychu, er gwaetha'u hamheuon neu eu hanghrediniaeth y gwnaethon-nhw hynny. Roedd un wedi dod o hyd i Dduw o fath newydd mewn profiad o ras ac un arall wedi gosod y cwestiwn naill ochr fel un anatebadwy. Ar yr un pryd roedd yna werthfawrogiad o etheg Cristnogaeth ac o ddysgeidiaeth ac esiampl yr Iesu. Agweddau cadarnahol eraill y tu ôl i'r ymlyniad wrth grefydd oedd cymdeithas eu cyd-aelodau a'r cyfle i gymryd rhan mewn gweithgareddau elusengar, a'r pwyslais ar yr efengyl gymdeithasol a'r gynhysgaeth ddiwylliannol gyfoethog.

Ym myd llenyddiaeth gwelwyd fel y bu rhaid i'r mwyaf ymroddedig hyd yn oed, sef gweinidogion yr efengyl, wynebu argyfyngau cred go waelodol na lwyddon-nhw'n llwyr i ymddihatru oddi wrthyn. Hyd y diwedd dioddefodd Tegla o 'ddu wasgfeuon' ac mae'n pwysleisio mai o'i gyfathrach â phobl nodedig eu cymeriad, nid o ymresymiad diwinyddol, y daeth iddo ysbrydoliaeth a phrofiadau dwys.

Yn nhraethiadau J. R. Jones, wele gynnig i ailddiffinio Duw mewn ffordd radical i'w wneud yn ystyrlon-berthnasol i fywyd ail hanner yr ugeinfed ganrif ac i ymateb i 'argyfwng gwacter ystyr'. Dyw syniadaeth J R Jones ddim yn rhydd o groesddywediadau ac amwysedd ond mae'n drawiadol i ŵr mor danbaid o grefyddol allu datgan bod 'Duw y *gellir* codi cwestiwn yn ei gylch, A ydyw'n bod ai peidio...yn rhwym o farw'.

Wrth wraidd y tyndra, fel sydd i'w weld yn arbennig yng ngwaith T. Rowland Hughes a T. Gwynn Jones, mae chwyldro deallusol Darwiniaeth, a ddymchwelodd y naratif Gristnogol gyfarwydd am wrthryfel dyn yn erbyn Creawdwr cariadus wyneb i waered. Darwiniaeth a theori esblygiad hefyd oedd prif bwnc y drafodaeth wyddonol-ddiwinyddol rhwng Gareth Wyn Jones, Stephen Nantlais Williams a Walford Gealy yn negawd cynta'r ganrif bresennol. Hanfod y ddadl, eto fyth, yw sut mae cysoni bodolaeth Duw hollalluog daionus â'r drygioni moesol a naturiol sydd yng nghraidd y greadigaeth. Mae hyd yn oed y diwinydd uniongred, ŵyr y pregethwr a'r emynydd efengylaidd Nantlais, yn amlwg yn cael trafferth: 'Os nad oes y fath Dduw i'w gael,' meddai, 'rhaid derbyn hynny a byw gydag anobaith; efallai fod hynny, yn y pen draw, yn well na chysuro ein hunain gyda rhyw rith o grefydd'.

Drwy'r cwbl mae'r ymdeimlad o golled, cyffelyb i alar, o gefnu ar gred mewn Duw, i'w ganfod. Fe welon-ni Gareth Wyn Jones yn pwysleisio cymaint y byddai Cymru ac Ewrop ar eu colled, yn seicolegol ac yn foesegol, o ymwrthod â 'mythiau cyfoethog ein diwylliant crefyddol'. Mae Karen Armstrong yn cyfeirio at gyfres o ymdrechion gan feddylwyr – Adler, Cohen, Bloch a Lonergan – dros y degawdau yn dilyn cyhoeddi *Origin* Darwin i ailddiffinio Duw er mwyn peidio â cholli'n llwyr y cysur a oedd yn tarddu o gredu ynddo. Enghraifft gynharach a mwy arwyddocaol fyth oedd Auguste Comte (1778-1857), tad positifiaeth,[1] a gyhoeddodd na allai unrhyw berson deallus gredu yn Nuw mwyach, ac a dreuliodd ddegawdau yn ceisio datblygu crefydd seciwlar newydd i lanw'r gwagle o golli ffydd.

Heddiw mae'r ymdrech yn parhau, ac enghraifft ddiddorol odiaeth ohoni yw *Religion for Atheists* Alain de Botton, y cyfeiriwyd ato ym Mhennod 2, ac sy'n rhoi sylw arbennig i syniadau Comte. Cafodd de Botton ei fagu'n blentyn i rieni Iddewig cwbl atheistaidd ac mae'n dal i arddel eu safbwynt nhw ar gwestiwn bodolaeth Duw. Mae'n disgrifio serch hynny sut y dioddefodd 'argyfwng gwacter ffydd' ganol ei arddegau, i ddechrau yn sgil gwrando ar gerddoriaeth Bach, edrych ar baentiadau o'r Forwyn Fair ac astudio pensaernïaeth Zen. Yn raddol daeth i sylweddoli cymaint y mae'n cymdeithas gyfoes ni wedi'i thlodi o ganlyniad i drai crefydd.[2] Pwrpas ei gyfrol yw tynnu gwersi o'r traddodiadau crefyddol er mwyn adfer ymlyniad cymunedol, hyrwyddo caredigrwydd, peri twf mewn doethineb drwy feithrin ymdeimlad o'r aruchel a'r trosgynnol, yn ogystal â nifer o faterion ymarferol eraill megis gwella'n dulliau o gyflwyno addysg, y celfyddydau a gweithgareddau hamdden. Nid adfywio 'crefydd' fel y cyfryw yw ei nod, eithr datgysylltu'r atebion y mae crefyddau wedi'u cynnig i 'broblemau'r enaid modern' oddi wrth 'yr adeiladwaith goruwchnaturiol' y datblygon-nhw o'u mewn yn y lle cyntaf'.[3] Ei ddymuniad yw gweld adeiladu sefydliadau seciwlar addas i'r dibenion hynny.

2 Y Sialens

Serch yr ymdeimlad cyffredin â gwactod ysbrydol a ddaeth yn sgil dirywiad crefydd yn y Byd Gorllewinol a'r chwilio plyciog, digyfeiriad braidd, am opsiynau amgen, mae'r sialens i grefydd brif-ffrwd heddiw yn un y mae angen ei chymryd yn gyfangwbl o ddifrif. Mae hyrddgyrch yr 'atheistiaid newydd' yn effeithiol, yn rhesymegol ac yn apelgar. Enillodd eu safbwynt gefnogaeth eang ymhlith y dosbarth deallusol, yng Nghymru fel yng ngweddill Ewrop. Lle bo amheuaeth yn hytrach nag argyhoeddiad, agnosticiaeth, nid credu, yw'r *default*. Nid ar chwarae bach y caiff y tueddiadau yma eu gwrthsefyll heb son am eu gwrthdroi.

Un ymdrech i wneud hynny yw ffwndamentaliaeth Gristnogol, mudiad a darddodd yn America fel adwaith yn erbyn Darwiniaeth ac sydd wedi denu cefnogaeth helaeth. Mae wedi ennill tir yng Nghymru, yn enwedig ymysg pobl ifainc. Nid peth unffurf mohono. Byddai llawer o ffwndamentalwyr Cymraeg er enghraifft yn gwaredu rhag daliadau gwleidyddol asgell-dde neo-geidwadwyr America, ym mudiad y *Tea Party* er enghraifft. Fodd bynnag mae modd diffinio rhai agweddau cyffredin: awdurdod yr Ysgrythur fel gwaith o ddwyfol ysbrydoliaeth; ymwrthod â chasgliadau gwyddoniaeth lle bo'r rheini'n gwrthdaro â'r awdurdod hwnnw; ymlyniad wrth athrawiaethau megis yr ymgnawdoliad ac atgyfodiad Crist fel gwirioneddau gwrthrychol-ffeithiol; y gred bod Cristnogaeth yn cynnig datguddiad unigryw a therfynol o fwriad Duw yn y byd. Mae yna bethau i'w hedmygu yn nilynwyr y math yma o syniadaeth ond mae iddi ei pheryglon ac mae'n amhosibl ei chymryd o ddifrif fel rheol bywyd i fwy na lleiafrif yn ein hoes ni.

Beth felly am Gristnogaeth 'fodernaidd' sydd, efallai, yn cynrychioli prif ffrwd swyddogol cred Gristnogol? Yn ôl Paul Badham mae argyhoeddiad llwyr ynghylch realiti Duw ac am fywyd ar ôl marwolaeth ymysg nodweddion creiddiol moderniaeth.[4] O fewn y traddodiad yma y mae'n gosod diwinyddiaeth Richard Swinburne a John Hick ymysg eraill. Fel y gwelwyd eisoes, theistiaid yw'r rhain sy, fel y ffwndamentalwyr, yn mynnu bod Duw yn realiti ffeithiol-wrthychol.

Mae'n ymddangos bod y gred yn Nuw fel Bod goruwchnaturiol, a fu ar encil gydol yr ugeinfed ganrif, wedi cael ail wynt dros y degawdau diwethaf yn sgil darganfyddiadau Ffiseg am ddechreuadau'r bydysawd. Crynhowyd uchod ddisgrifiad John Houghton o'r cywirdiwnio anhygoel braidd a arweiniodd at ffurfio bydysawd lle gallai bywyd, a bywyd dynol yn benodol, ymddangos. Hynny a barodd i rai Ffisegwyr amlwg gyfeirio at y posibilrwydd bod yna fwriad dwyfol y tu ôl i'r cyfan, bod angen esboniad teleolegol i'r bydysawd. Hynny hefyd sy'n galluogi Swinburne i ddatblygu ei syniadau am ddiwinyddiaeth natur. Mae trafodaeth fanwl-eglur ar y dadleuon hyn yng nghyfrol Paul Badham, sy'n dal bod 'ffiseg fathemategol fodern yn disgrifio darlun o realiti y mae modd dangos ei fod yn dra chydnaws â chred yn Nuw fel crëwr a chynhaliwr y bydysawd'.[5]

Dichon mai'r ddadl hon yw'r un fwyaf perswadiol o

blaid bodolaeth Duw goruwchnaturiol. Rwyf wedi gwneud ymdrech uchod i drafod yr hyn a welaf i fel gwendidau'r ddadl ond mae ei phlygion, rhaid cyfaddef, yn fwy nag y gallaf i eu datrys. Rwy'n fwy na pharod i adael y pos yma i'r ffisegwyr, y mathemategwyr a'r rhesymegwyr. I gael y darlun yn gyflawn fodd bynnag, byddai rhaid i'r theistiaid yn eu mysg dderbyn yr anhawster o gysylltu Bod goruwchnaturiol eu damcaniaethu â'r Duw cariadus a roddodd ystyr i brofiad credinwyr ar hyd yr oesau, yn enwedig o gofio bod y greadigaeth naturiol, mewn cynifer o ffyrdd, mor amherffaith, mor hynod o anghyfeillgar i hawddfyd dyn ar y ddaear. Rhoddwyd nifer o enghreifftiau eisoes a gellid ychwanegu llu o rai eraill. Dyma un.

Mae'r platiau tectonig sy'n ffurfio cromen y ddaear yn dal i symud yn araf, araf. O bryd i'w gilydd, ar adegau y mae'n dal i fod yn anodd eu rhagweld, bydd y symudiadau yma'n achosi daeargrynfâu a chrucdarddiadau folcanig gyda chanlyniadau cynddeiriog o ddifäol. Ymysg yr enghreifftiau y mae Tswnami Nadolig 2004 (230,000 o farwolaethau), crucdarddiad Cracatoa yn 1883 (rhwng 36,000 a 120,000 o farwolaethau ac effaith bellgyrhaeddol ar hinsawdd y byd) a daeargryn Lisbon yn 1755 (rhwng 40,000 a 50,000 o farwolaethau). Oes angen pwysleisio bod y math yma o drychinebau yn rhan o wneuthuriad y greadigaeth ac yn gyfangwbl y tu hwnt i allu dyn i'w rheoli nac, yn amlach na pheidio, i osgoi eu canlyniadau?

Mae'n bosibl mai ymosodiadau'r atheistiaid sydd wedi gwthio diwinyddion fel Swinburne i ddilyn rhesymeg eu theistiaeth i'w phen draw rhesymegol, gan ddadlau bod eu Duw hollalluog, hollddaionus wedi caniatáu (wedi plannu?) drygioni naturiol yn y byd er mwyn rhoi'r cyfle i ddyn ddewis, yn yr amgylchiadau hyn, rhwng gweithredu'n dda neu'n ddrwg. Fy marn i yw bod rhesymeg Swinburne, fel yr awgrymwyd eisoes, wedi ei arwain i le tywyll iawn, i

gasgliadau (a defnyddio gair Dewi Z. Phillips) *obscene*. Go
brin bod y gair 'hurt' yn rhy gryf.

3 Diosg y Duw Goruwchnaturiol

Hen broblem wrth gwrs yw cysoni'r syniad o Grëwr
cariadus â'r erchyllterau a fu'n rhan annatod o brofiad dyn
ar y ddaear erioed. Dyna thema Llyfr Job, y dewisodd yr
Iddewon ei gynnwys yng nghanon eu hysgrythurau
cysegredig. Drwy'r canrifoedd bu rhaid i gredinwyr
dderbyn y gwrthddywediad fel dirgelwch nad oedd datrys
arno. 'Drwy ddirgel ffyrdd mae'r uchel Iôr yn dwyn ei waith
i ben,' meddai'r bardd Saesneg William Cowper (1731-
1800). Pa mor chwerw bynnag y bo profiadau bywyd yn
aml, rhaid derbyn, drwy ffydd, 'ddoethineb wir, ddiwall' y
Tad trugarog sy'n cuddio'i wyneb y 'tu cefn i len
rhagluniaeth ddoeth'.[6] Tebyg bod ymresymiad felly'n
anochel mewn cyfnod pan oedd bodolaeth Duw i'r
mwyafrif y tu hwnt i gwestiwn. Nid felly heddiw. Ar y gorau
damcaniaeth yw Bod Goruwchnaturiol ein hynafiaid erbyn
hyn. Mae'r cwestiwn yn codi felly, i ba raddau y mae'n
rhesymol i seilio'n hymdrech i ddod o hyd i ystyr, pwrpas a
chysur, yn bersonol, yn gymdeithasol, ac fel cymuned fyd-
eang, ar ddamcaniaeth sigledig sy'n cynnwys gwrthddy-
wediadau mor amlwg.

Fy marn i yw mai'r cam cyntaf tuag at adfer hygrededd
crefydd yw diosg y syniad o Dduw goruwchnaturiol yn
llwyr ac yn gyfangwbl, gan gynnwys gweddillion y Duw
hwnnw sy'n llechu, i raddau mwy neu lai, yng ngwaith
diwinyddion blaengar megis J. R. Jones, Rowan Williams,
Marilynne Robinson a hyd yn oed Dewi Z. Phillips.

Gallai ymddihatru felly fod yn brofiad rhyddhaol a
'phuredigol', fel yn wir y mae Phillips yn awgrymu. Dim

rhagor o holi 'Pam?' yn wyneb trallod ac anghyfiawnder. Dim rhagor o briodoli anffodion, dioddefaint ac erchyllterau i Farn oruwchnaturiol. Dim rhagor o resynu di-fudd at wrthryfel tybiedig dynoliaeth yn erbyn y Duwdod. Dim rhagor o ddisgwyl rhwystredig am gyfarwyddyd dwyfol i'n penderfyniadau. Dim rhagor o gyfiawnhau ysgelerderau yn enw awdurdod dwyfol. Dim rhagor o obeithio'n ofer am ymyriad Duw i'n hachub rhag trychineb. Dim rhagor o wingo ysbrydol a phoen cydwybod yn wyneb 'anghrediniaeth'. Eithr nid mater o ollyngdod a dim mwy yw hyn. Mae Phillips yn iawn i bwysleisio hefyd y cyfle i ystyried ffyrdd amgen o gredu'n grefyddol. Cyn dod at hynny fodd bynnag mae yna ail gam angenrheidiol. Cydnabod llwyddiant llachar Gwyddoniaeth yw hwnnw.

4 Goruchafiaeth Gwyddoniaeth

Gadewch i ni alw i gof mai gair arall am wybodaeth yw 'gwyddoniaeth'. Fe'i bathwyd ddechrau'r 19fed ganrif i gyfateb i '*science*', sy'n tarddu yn ei dro o'r Lladin '*scio*' = gwybod. Diolch i'r chwyldro gwyddonol, sy'n dyddio yng Ngorllewin Ewrop o'r 16ed ganrif, mae'r wybodaeth sydd ar gael i ni amdanon ni'n hunain, am fyd natur ac am y bydysawd wedi cynyddu'n aruthrol ac mae'r cynnydd hwnnw'n parhau ac yn cyflymu. Arsylwi, arbrofi a dadansoddi tystiolaeth yn wrthrychol yw nod amgen y dull gwyddonol a ddylanwadodd yn ei dro ar bob agwedd ar ddysg, yn cynnwys Hanes ac Astudiaethau Crefyddol. Cyfrannodd at ein dealltwriaeth o ymddygiad dyn drwy Anthropoleg, Cymdeithaseg a Seicoleg. Helaethwyd cwmpas meddwl a chyrhaeddiad dyn yn anfesuradwy yn y broses.

Dyma fi'n nodi, ar fympwy, dim ond pedwar o gampau rhyfeddol yr helaethiad gwybodaeth digynsail hwn yn hanes ein rhywogaeth.

Drwy arsylwadau ac arbrofion Semmelweis, Pasteur ac eraill, sylweddolwyd mai organebau byw oedd achos yr afiechydon heintus a oedd wedi blino dynoliaeth drwy'r oesau.[7] Arweiniodd y darganfyddiad at chwyldroad mewn iechyd cyhoeddus a thriniaethau a achubodd fywydau dirifedi ac a drawsnewidiodd ansawdd bywyd er gwell i'r lliaws.

Arweiniodd astudiaethau daearegol a biolegol at ddatblygu theori Esblygiad sy'n ein galluogi i esbonio bywyd yn ei holl amryfathedd diderfyn a'n datblygiad ein hunain fel rhywogaeth. Erbyn hyn mae astudiaethau biocemeg wedi datgelu dirgelion anhraethol gymhleth gwneuthuriad y celloedd, blociau adeiladu sylfaenol pethau byw. O fewn y celloedd hynny darganfuwyd yr adeiladweithiau annychmygadwy o fychan sy'n cynnal bywyd ac yn trosglwyddo gwybodaeth enetig o genhedlaeth i genhedlaeth.[8] Eisoes arweiniodd y math yma o ymchwil at enillion meddygol gwerthfawr ac mae'r potensial pellach yn enfawr.

Rhwng 1998 a 2008 adeiladwyd y peiriant hiraf yn hanes y byd, y Coleidiwr Hadron Mawr, 176 metr o dan y ddaear ar ffin y Swisdir a Ffrainc o dan nawdd y Gyfundrefn Ewropeaidd dros Ymchwil Niwclear. Bu 10,000 o wyddonwyr a pheirianwyr o dros 100 o wledydd yn ymwneud â'r prosiect – esiampl wiw o gydweithrediad yn goresgyn gwahanfuriau gwladwriaethol.[9] Y pwrpas oedd ateb rhai o gwestiynau sylfaenol Ffiseg, gan gynnwys yn arbennig brofi bodolaeth neu anfodolaeth boson Higgs, y sylwedd anweledig a fyddai'n esbonio ffurfio atomau ac a ryddhawyd, medden nhw, un triliynfed o eiliad ar ôl y Glec Fawr. Oni bai am foson Higgs, fuasai yna ddim sêr na phlanedau na phlanhigion nac anifeiliaid, na dim chi-a-fi. Pan gyhoeddwyd yn 2012 i fodolaeth y boson gael ei gadarnhau, ffrwydrodd cymeradwyaeth o blith y gwyddonwyr a oedd yn bresennol a chronnodd y dagrau yn llygaid Peter Higgs.

Neu meddyliwch mewn difrif am y llong ofod MESSENGER a lansiwyd yn 2004 er mwyn archwilio'r blaned Mercher. Cyn cyrraedd Mercher hedfanodd MESSENGER heibio'r Ddaear unwaith a heibio i Wener ddwywaith. Wedi hedfan heibio Mercher ei hun deirgwaith, aeth i orbit o'i hamgylch yn 2011. Bryd hynny yr ailgychwynnwyd offer gofodol MESSENGER gan wyddonwyr ym mhencadlys y prosiect a danfonodd 100,000 o ddelweddau yn ôl i'r Ddaear. Llwyddodd i fapio 100% o wyneb Mercher a disgrifio cymeriad ei maes magnetig. Darganfu iâ dŵr o dan wyneb ei phegwn gogleddol. Mae 48 miliwn o filltiroedd o'r Ddaear i Fercher.[10]

Fel camp wefreiddiol, does bosibl, y mae gweld y bennod lachar hon yn hanes dynoliaeth dros y pedair canrif ddiwethaf. Ac eto yn fynych (er nad o bell ffordd yn ddieithriad) gochelgar, anfoddog neu elyniaethus fu ymateb byd crefydd.

Cafodd yr arloeswr gwyddonol mawr Galileo ei gyhuddo o heresi gan Chwilys Eglwys Rufain am ddadlau bod y Ddaear yn cylchdroi o amgylch yr haul, a'i orfodi i ymwadu â'i ddarganfyddiadau. Fe'i cadwyd yn garcharor yn ei gartref weddill ei ddyddiau. Rydyn-ni eisoes wedi trafod ymateb llawer iawn o Gristnogion i theori Esblygiad a'r gwrthodiad i'w derbyn, yn wyneb tystiolaeth lethol, hyd at heddiw. Ymysg Cristnogion prif-ffrwd heddiw hyd yn oed mae dyn yn clywed islais o ddrwgdybiaeth mai enghraifft o draha dynoliaeth yw llwyddiant gwyddoniaeth.

Enghraifft nodedig o hyn yw J. R. Jones sy, er yn derbyn bod gwyddoniaeth yn 'amlygiad o'[n] dyheadau arwrol, blaengarol', yn rhybuddio i ddyn, yn ei 'orffwylledd', freuddwydio am ddisodli Duw. 'Wedi "dyfod i'w oed" o ran ei wybodaeth wyddonol, y mae fel petai wedi deall fod gorsedd y Bydysawd, *o fewn i'r Bydysawd*, yn orsedd wag...ac wedi cymryd y cyfle i'w osod ei hunan arni!'.[11] Roedd rheswm da dros resynu at y ffordd y cysylltwyd ymchwil i'r gofod â'r Ras Arfau – mater llosg yn nydd J. R. Jones. Yr hyn sy'n anfaddeuol fodd bynnag yw absenoldeb unrhyw gynnwrf cadarnhaol, unrhyw lawenydd dathliadol yng ngorchestion gwyddoniaeth.

Mae dyn yn deall hefyd bryder J. R. Jones yn ei ddydd yr arweiniai twf technoleg, yng ngwasanaeth y peiriant economaidd, at weld dynion, fel cydrannau'r dyfeisiadau technolegol, yn ddim ond 'unedau unffurf, safoneiddiedig, ailadroddadwy'.[12] Pe bai-e byw heddiw, serch hynny, does bosibl na werthfawrogai-fe weld pobl fethedig, a fuasai mewn cyfnod blaenorol yn gaeth i'w cartrefi neu waeth, yn gallu crwydro'n rhydd drwy strydoedd ein trefi oherwydd cywreindeb peirianegol y gadair olwyn electronaidd; a'r byddar yn clywed, y rhai a gollodd freichiau a choesau yn gafael ac yn cerdded, a'r sawl a drawyd yn fud gan glefyd niwrolegol yn cyfathrebu.

Wrth edrych yn ôl, tristwch J. R. Jones yw ei fod yn dehongli dirywiad crefydd, a oedd yn adlewyrchu ymsymudiadau cymdeithasol a syniadol sylfaenol, yn nhermau argyfwng apocalyptaidd mewn gwareiddiad a hynny wedyn yn ei ddallu i dwf gogoneddus dealltwriaeth dyn yn y byd modern. Dealladwy, diffuant ac angerddol, ond trist serch hynny.

Mae'n hen bryd i grefyddwyr roi heibio agweddau adweithiol at gyflawniadau cynyddgar y goleuo gwyddonol, ynghyd â'r syniad sy'n llechu y tu ôl iddyn nhw bod yna Dduw goruwchnaturiol sy'n gwybod yn well na ni ac a allai rywsut ein harwain o'n trybini.

A dyna ni at y trydydd cam angenrheidiol, sef derbyn na ddylai, ac na all, crefydd gystadlu â gwyddoniaeth, mai arall yw ei thiriogaeth a'i chyfraniad, mai, yng ngeiriau Marilynne Robinson, 'man arall yw ei phriod le'.

5 Mythos a Logos

Fwy nag unwaith yn y penodau blaenorol fe gododd y syniad y dylid cydnabod bod Crefydd a Gwyddoniaeth yn perthyn i beuoedd gwahanol ac nad oes modd barnu gwirionedd eu gosodiadau yn ôl yr un safonau. Dyna oedd y tu ôl i ymdrech – ofer ysywaeth – Walford Gealy i gymodi rhwng y gwyddonydd Gareth Wyn Jones a'r diwinydd Stephen Nantlais Williams yn nadl *Y Traethodydd*. Dyna sail athronyddol Dewi Z. Phillips, yn dilyn Wittgenstein a Rush Rhees, wrth gynnig ffordd newydd o amgyffred Duw. A dyna ymresymiad John Houghton wrth gyfeirio at ei ddwy stori, sef stori gwyddoniaeth a stori ffydd. Ffordd Karen Armstrong o ddweud yr un peth yw tynnu sylw at y gwahaniaeth rhwng *mythos* a *logos*. Dyna thema ei chyfrol feistraidd *The Case for God*, a'i dadansoddiad hi fydd sail fy sylwadau innau yn yr adran hon.

Cyn troi at ei gwaith hi fodd bynnag rwyf am grybwyll ymosodiad hallt Richard Dawkins ar y syniad hwn. I'w ddisgrifio mae'n defnyddio'r label 'NOMA' (acronym o'r ymadrodd *'non-overlapping magisteria'* o gyfrol Stephen Jay Gould, *Rocks of Ages*).[13] Perwyl ei feirniadaeth yw parodrwydd diwinyddion, tra'n syrthio nôl ar NOMA i gyfiawnhau'u daliadau, i wneud honiadau sy'n tresmasu ar dir gwyddoniaeth – defnydd Swinburne o gywir-diwnio'r bydysawd i 'brofi' bodolaeth Creawdwr personol er enghraifft. Mae beirniadaeth Dawkins yma yn gwbl deg yn fy marn i. Mae hefyd yn awgrymu na fuasai crefyddwyr ddim ond yn rhy barod i anghofio NOMA pe bai tystiolaeth wrthrychol – o wyrthiau er enghraifft – yn dod i'r fei y gellid ei defnyddio i brofi ymyrraeth oruwchnaturiol. Nid di-sail ei ddrwgdybiaeth, ddywedwn i.

Ond yn ôl â ni at Karen Armstrong. Mae hi'n tynnu sylw at arfer y Groegiaid gynt o ddefnyddio'r ddau air, mythos a logos, i gyfleu dwy agwedd sylfaenol ar fywyd dyn. Mewn diwylliannau cyn-fodernaidd yn gyffredinol yn ôl Armstrong roedd pobl yn ei gweld yn beth pwysig i beidio drysu rhwng y ddwy ffordd yma o ddelio â realiti bywyd.

Prif ystyr y gair *logos* yw rheswm ac mae'n ymwneud â materion ffeithiol, ymarferol a gwyddonol. Logos a fyddai'n galluogi dyn i gael trefn ar ei fywyd, i ddatrys problemau, gwneud ei waith bob dydd, dilyn ei grefft, yn ogystal ag ymgymryd â thasgau mwy uchelgeisiol megis esbonio byd natur a'r cosmos ei hun.

Peth gwahanol iawn yw *mythos*. Dyma'r allwedd i fyw yn fwy dwys ac angerddol, i ymdeimlo â rhyfeddod bodolaeth, i ddygymod â phrofedigaethau bywyd ac i feithrin ymroddiad i'r bywyd da. Dyma faes chwedlau am dduwiau ac arwyr ac anturiaethau rhyfedd. Yn nhermau mythos y byddai pobl yn trafod agweddau trasig, dryslyd ac anniffiniol bywyd. Drwy gyfrwng mythos hefyd yr oedd modd i ddyn godi i stad uwch o ymwybyddiaeth, gan ymdeimlo â'r trosgynnol. Nid heb ymdrech yr oedd profi'r *ekstasis* yma: rhaid wrth fyfyrio ac yn arbennig ymarfer defodau a fyddai'n arwain dyn i'r cyflwr meddwl priodol. Cam eithaf y fyfyrdaith yma fyddai cyrraedd y fan lle byddai dealltwriaeth yn pallu, lle byddai dirgelwch yn mynd yn drech na gafael y meddwl.[14]

Mae dyn yn tueddu i gysylltu'r math yma o ymwybyddiaeth â chrefyddau dwyreiniol megis Bwdïaeth ac mae'r rheini yn cael lle amlwg yn nhrafodaeth

Armstrong. Ond cafwyd profiadau tebyg hefyd yn hanes y Cymry. Fe wyddai plant y Diwygiad Mawr[15] am 'drysorau uwch gwybod y byd' a phrif lais eu *ekstasis* nhw oedd Williams Pantycelyn:

Datrys, datrys fy nghadwynau
gad i'm hysbryd fynd yn rhydd;
rwyf yn blino ar y twyllwch,
deued, deued golau'r dydd.
    Yn y golau
mae fy enaid wrth ei fodd.[16]

Mae'n wir bod arweinwyr y Diwygiad yn seilio'u pregethu ar ddysgeidiaeth benodol iawn, sef diwinyddiaeth John Calvin. Does bosibl serch hynny nad profiad dwys o lawenydd, yn cael ei fynegi ar gân ac weithiau, yn ôl y son, mewn neidio ecstatig, yn hytrach nag argyhoeddiad syniadol, oedd hanfod y mater. Meddai Karen Armstrong, 'Does dim pwynt pwyso a mesur athrawiaethau crefydd yn awdurdodol i farnu'r gwir a'r gau all fod ynddyn-nhw cyn ymroi i ffordd grefyddol o fyw. Ddowch-chi ddim o hyd i'w gwirionedd – neu ddiffyg gwirionedd – heb i chi droi'r athrawiaethau hynny'n weithredu defodol neu foesegol.'[17]

Roedd a wnelo'r 'gwirionedd' yma â'r bywyd mewnol yn gymaint ag â'r allanol. Nid mater o ryw 'realiti allanol mâs fanna' yn unig oedd y dimensiwn trosgynnol: roedd-e'n 'unwedd â lefel ddyfnaf... bod' yr unigolyn. Ofer yn wir oedd ceisio dyfalu beth oedd natur y realiti allanol uwch tybiedig. Barn y Bwda er enghraifft oedd bod holi a oedd yna Dduw, ac ai Fe a oedd wedi creu'r byd, yn wastraff amser – yn gwestiwn amherthnasol. Mewn Hindwaeth cafwyd y syniad bod y realiti eithaf y tu hwnt i allu iaith i'w fynegi.[18] Bu'n arfer gan rai dysgawdwyr Iddewig, Cristnogol ac Islamaidd fynd mor bell â 'mynnu nad yw

Duw yn bod ac nad oes unrhywbeth i'w gael allan fanna' – er mai er mwyn diogelu ei drosgynolder y bydden-nhw'n dweud hynny.[19] Yn nechrau ymwybod crefyddol dyn yn wir, doedd yna ddim 'cysyniad o'r goruwchnaturiol, dim agendor fawr rhwng y dynol a'r dwyfol'.[20]

Rhywbeth i'w ymarfer, dawn[21] nid dysgeidiaeth, oedd crefydd yn y gwraidd felly, nid mater o danysgrifio i gyfres o gredoau athrawiaethol. I'w hymarfer yn llwyddiannus rhaid meithrin y ddawn drwy fyfyrdod, gweddi a defod. Yn fwy na dim rhaid concro'r hunan a meithrin cydymdeimlad â'n cyd-ddyn.

Newidiodd popeth, meddai Karen Armstrong, gyda'r chwyldro gwyddonol. Ei ganlyniad oedd i logos ennill buddugoliaeth ddigamsyniol ar fythos yn niwylliant y Gorllewin. Arweiniodd hynny at gynnydd diamheuol a llwyddiannau llachar ond yn y broses collwyd i raddau helaeth y ddawn i gael mynediad i'r math o brofiadau crefyddol yr oedd mythos yn eu cynnig.

Nid dyna'r cwbl fodd bynnag. Yn anffodus meddiannwyd cynheiliaid crefydd hefyd gan yr un byd-olwg. Fe aethon nhwythau ati felly i gyfiawnhau eu ffydd yn ôl safonau logos. Fel y gwelwyd ym Mhennod 2 uchod, y meddylfryd yma a borthodd argyhoeddiad tad Ffiseg fodern, Isaac Newton, ei fod wedi profi bodolaeth Duw drwy dystiolaeth wyddonol. Mabwysiadwyd meini prawf gwyddoniaeth gan ddiwinyddion, gan ddechrau cyfeirio at fythiau Cristnogaeth fel pethau y gellid eu profi drwy reswm a hanes. Cafodd y sythwelediadau mythaidd yna eu gwthio felly i ddull o feddwl a oedd yn estron iddyn-nhw. Gwyddoniaeth wael a chrefydd 'anghelfydd' sy'n dod o ddrysu logos a mythos yn y modd yma, meddai Karen Armstrong.[22]

Yn eironig ddigon, ffrwyth yr union feddylfryd yma yw ffwndamentaliaeth, sydd wedi dewis 'dehongli'r ysgrythur yn llythrennol mewn modd na chafwyd ei debyg yn holl hanes crefydd'.[23] Dyma gawdel syniadol sydd wedi gwneud mawr ddrwg i'n dealltwriaeth o grefydd, ei natur a'i pherwyl, ac wedi cyfrannu at anoddefgarwch a ffanatigiaeth grefyddol yn ein hoes ni. Fodd bynnag fe dreiddiodd yr un meddylfryd i'r brif ffrwd ddiwinyddol yn ogystal, er enghraifft yn ymdrech Swinburne ac eraill i ddiffinio Duw ac i ddefnyddio 'crefydd natur' i brofi ei fodolaeth. Byddai diwinyddion mewn oesoedd blaenorol, meddai Armstrong, wedi gweld 'rhai o'n syniadau modern ni am Dduw fel delwaddoliaeth'.[24]

Diddorol ac arwyddocäol dros ben yw ei thrafodaeth ar y newid a ddigwyddodd i ystyr y gair Saesneg *'believe'* yn sgil y chwyldro gwyddonol. Mewn Saesneg Canol, meddai, ystyr *'bileven'* oedd rhoi gwerth ar rywbeth, ei anwylo, a theyrngarwch i beth felly oedd *'belief'*. Roedd hynny meddai yn cyfleu ystyr *'pistis'* (ffydd) a'r ferf *'pisteuo'* yn y Roeg wreiddiol. Tua diwedd yr 17fed ganrif fodd bynnag, a gwyddoniaeth yn dylanwadu fwyfwy ar ein ffordd o feddwl, aeth y gair i olygu derbyn damcaniaeth fel gwirionedd ffeithiol.[25]

Rwyf innau wedi sylwi ar yr un ddeuoliaeth ar lafar yn y gair 'credu'. Gall olygu bod o blaid rhywbeth, ymrwymo wrtho – 'mae-hi'n credu'n gryf yn y Teulu Brenhinol', 'mewn annibyniaeth i Gymru' neu 'mewn sosialaeth', er enghraifft. Neu gall olygu derbyn neu wrthod rhywbeth fel ffaith wrthrychol – 'Dwy'n credu dim mewn ysbrydion,' dyweder.

Tebyg bod lle i amau honiad Karen Armstrong bod y canfyddiad o Dduw wedi newid mor llwyr â hynny dan ddylanwad y chwyldro gwyddonol. Wedi'r cyfan mae Credo Nicea – 'Credaf yn un Duw, y Tad Hollalluog, gwneuthurwr nef a daear a phob peth, gweledig ac anweledig' – yn dyddio o 325 OC. Serch hynny mae'i hesboniad hi o'r gwahaniaeth hynafol rhwng logos a mythos yn hynod o ddefnyddiol wrth i ni ystyried o'r newydd beth yw hanfodion crefydd.

Fy marn i yw mai cadw'r gwahaniaeth rhwng mythos a logos, a rhwng dau ystyr 'credu', yn glir yn ein meddyliau yw'r allwedd a all agor y drws i ffydd a fyddai'n berthnasol i gymdeithas heddiw. Mae'n amlwg i fi mai i fyd mythos, nid i fyd logos, y mae crefydd yn perthyn. Iaith ffigurol myth, metaffor a symbol, nid ffeithiau gwrthychol gwiriadwy, yw iaith crefydd. Mae derbyn hyn a'i holl ymhlygiadau yn annatod gysylltiedig â'r trydydd cam y cyfeiriwyd ato yn yr adran flaenorol.

Nid gwneud yn fach o rywbeth o bell ffordd yw dweud mai metaffor neu symbol yw-e. Mae'r diwinydd radical Don Cupitt yn gweld 'metafforau cryf' – mae'n cynnig Ffynnon yn un – fel ffordd gyfoethog o'n galluogi i ddod o hyd i gysur yn ein bywydau a gwneud synnwyr ohonyn-nhw. Mae'n dangos sut y mae symbolaeth a metaffor yn hydreiddio'n holl ffordd-ni o feddwl, siarad a deall.[26]

Ffynhonnell y gallu i weld y byd yn y termau hyn yw'r dychymyg creadigol. Meddwl Dyn yw trigfan, neu'n hytrach weithdy, y dychymyg. Beth gawn-ni ddweud felly am Ddyn, y creadur rhyfedd, a rhyfeddol, hwnnw?

6 Pa Beth yw Dyn?

Mae rhoi bri ar Ddyn yn bwysig, meddai Marilynne Robinson, petai dim ond 'er mwyn cyfyngu ar ysgogiadau gwaetha'r natur ddynol, a gollwng ei ysgogiadau gorau yn rhydd'. Dyna egwyddor sylfaenol bwysig, ond fel y gŵyr Robinson yn dda iawn, mae rhesymau gwell o lawer na'r rhai ymarferol yna.

Ond gadewch i ni, hyd y gellir, ddechrau yn y dechrau.

Cynnyrch esblygiad o ffurfiau cyntefig o fywyd yw Dyn. Yn llythrennol, ac yn drosiadol hefyd, o'r llaid y cododd – dyna'r realiti a fynegwyd mor rymus gan T. Gwynn Jones yn 'Ex Tenebris'. Proses enbyd ac arswydus ar lawer ystyr fu'r dringad graddol a ddaeth â ni i'r man lle ryn-ni. Cyfeiriodd Gareth Wyn Jones at y ffaith mai difodiant 99.9% o'r holl rywogaethau a fu ar y Ddaear erioed a roddodd y cyfle i ddynoliaeth esblygu. Mae ymchwil diweddar wedi datgelu sut y cyd-ddigwyddodd ymddangosiad ein hynafiad homo erectus â difodi miloedd lawer o rywogaethau oddi ar wyneb y blaned. Mor ddiweddar â chwta 50,000 o flynyddau yn ôl enillodd homo sapiens sapiens y gystadleuaeth yn erbyn nifer o rywogaethau dynol eraill, Dyn Neanderthal yn eu plith, gan achosi'u difodiant.[27]

Y gynhysgaeth enbyd hon, y frwydr i oroesi ac atgynhyrchu, sy'n esbonio'r tueddiadau trachwantus, ciaidd, dinistriol sy'n aros yng ngwraidd ein natur fel bodau dynol – y 'pechod gwreiddiol'. Ond nid dyna'r cyfan o'n hanes.

Mae'n debyg mai ffactor allweddol yn ein hesblygiad i'n ffurf bresennol oedd ymddangosiad, ar siawns, y gennyn FOXP2 tua 60,000 o flynyddau nôl, a'n caniataodd-ni i gaffael iaith.[28] A dyna ni ag offeryn yn ein gafael a fyddai'n ein helpu i sefydlu'n gwastrodaeth ar rywogaethau eraill. Ond yr offeryn hwn a'n galluogodd-ni hefyd i gychwyn, neu gyflymu, y trawsnewidiad yn ein natur a'n hamgylchedd yr ydyn-ni wedi'i alw'n 'ddiwylliant' – proses gynyddol o ddi-wylltio. Mae'r paentiadau cynharaf mewn ogofâu yng nghyffiniau'r Pyreneau, sydd yn ôl Karen Armstrong ynghlwm wrth ddefodaeth grefyddol, yn dyddio o tua 30,000 CC.[29]

Mae John Selby Spong yn cysylltu'r datblygiadau hyn â thwf hunan-ymwybyddiaeth – bod yn ymwybodol o'n hymwybyddiaeth ein hunain.[30] Hynny yn ei dro a esgorodd ar ymwybyddiaeth foesol – y ddealltwriaeth yn gwawrio bod y fath beth â da a drwg. Yna, yn hwyr neu'n hwyrach, dyma wyrth y gwyrthiau, deall bod y da yn well na'r drwg, ac mai'n lle ni, blant dynion, oedd hyrwyddo'r da a lluddias y drwg. Felly y dysgodd Dyn, yn unigryw fe ddichon ymysg y rhywogaethau, drosgynnu ei etifeddiaeth enynnol, ei drosgynnu'i hun.

Drwy wyddoniaeth, agwedd ar ddiwylliant, daeth dyn gan bwyll, ac i raddau hynod yn ein dyddiau ni, i ddeall ei darddiad a'i gyfansoddiad ei hunan. Nid yn unig hynny, ond fe ddaeth hefyd i ddechrau deall y Bydysawd a'i galluogodd i fodoli, i ddisgrifio deddfau'i weithrediad. A chan mai rhan o'r Bydysawd yw dyn, roedd hyn yn gyfystyr â bod y Bydysawd yn dod yn ymwybodol ohono'i hun. Drwy ddyn, efallai'n unigryw, efallai nid felly, gall y Bydysawd sylwi ar ryfeddodau ei threigl anhraethol ei hun.[31] Mor bwysig yw i ni sylweddoli rhyfeddod y campau anhygoel hyn o eiddo Dyn.

Drwy'r agwedd arall ar ei greadigrwydd dihysbydd fe esgorodd Dyn ar holl fyd y mythos: celfyddyd, cerddoriaeth, chwedlau, mythau a chrefyddau. Fe ddysgodd, nid yn unig sut i ddeall, ond sut i ryfeddu at, y ffurfafen, at y ddaear a'r môr, at fywyd a bodolaeth. Fe ddysgodd hefyd sut i geisio i ryw raddau ddygymod ag enbydrwydd trallodus ei fywyd brau. Fe ddysgodd wylo a chwerthin. Yn ogystal ag ufuddhau i'w reddf i oroesi fe feithrinodd ofal dros ei gyd-ddyn a chreaduriaid eraill. Gwybod, yn reddfol i gychwyn, i gymaint graddau yr oedd ei les e ei hun yn dibynnu ar les eraill oedd dechreuad ei allgaredd debyg iawn, ond wrth hir ymddiwyllio dros y maith ganrifoedd fe enillodd cariad le yn ei ymwybod – nid serch cnawdol yn unig, nid dim ond gofal dros ei deulu a'i genedl ei hun, ond cariad 'at gyd-ddyn, lle bynnag y bo'.

Cydnabod hyd-a-lled ein potensial i gasáu, i chwalu a thanseilio, i dwyllo, i ddyrchafu'r hunan ar draul eraill, i syrthio i ddyfnderoedd eithaf ffieidd-dra, tra'n mynnu y gall caredigrwydd, tiriondeb ac anhunanoldeb gael yr afael drechaf ar y rhain – dyma graidd neges a chenhadaeth y crefyddau mawr. Mae mythau grymus fel stori'r Cwymp oddi wrth berffeithrwydd Gardd Eden yn adlewyrchu argyhoeddiad dwfn-wreiddiedig mai byw mewn cytgord, cariad a heddwch yw cyflwr 'naturiol' dyn. Mynegi'r ymroddiad i greu o'r newydd gymdeithas lle caiff y goleuni yr afael drechaf ar y tywyllwch y mae'r freuddwyd am sefydlu Teyrnas Nefoedd ar y ddaear.

Rhyfeddu at ddibendrawdod dichonol cyrhaeddiad dyn a ysbrydolodd rai o ehediadau gwychaf y dychymyg.

Meddai'r salmydd yn ateb i'r cwestiwn sy ym mhennawd yr adran hon:

Canys gwnaethost ef ychydig is na'r angylion, ac a'i coronaist â gogoniant ac â harddwch. Gwnaethost iddo arglwyddiaethu ar weithredoedd dy ddwylo; gosodaist bob peth dan ei draed ef.'[32]

Ac meddai Hamlet Shakespeare, ag yntau yn nyfnder ei ddadrithiad:

Y fath gampwaith yw dyn, mor ddyrchafol ei reswm, mor ddiderfyn ei alluoedd, mor chwim a gosgeiddig ei symudiadau, ei weithgareddau'n angylaidd a'i ddealltwriaeth yn ddwyfol.[33]

Ffordd y traddodiad Iddewig-Gristnogol o fynegi amgyffrediad felly o natur Dyn yw mynnu iddo gael ei greu ar lun a delw Duw. Mater o ddyhead dychmygus, nid datganiad o ffaith, yw hynny wrth gwrs ond fy marn i, gyda

Marilynne Robinson, yw bod rhaid dal yn dynn wrtho fel un o sylfeini ein ffydd.

7 Dechrau o'r newydd: dyneiddiaeth grefyddol

Trwy ryw fath o ddyneddiaeth grefyddol y mae modd dechrau o'r newydd – dyna fy marn i. Caiff y fath awgrym ei herio wrth gwrs, ac o fwy nag un cyfeiriad.

Mae'r athronydd gwleidyddol uchelfri John Gray[34, 35] yn adnabyddus yn arbennig am ei ymosodiad ar ddyneiddwyr atheistiaid a'u ffydd yng nghynnydd y ddynoliaeth. Yn drawiadol iawn, ei gyhuddiad yw bod eu hyder y gall gwelliant mewn etheg a gwleidyddiaeth altro'r cyflwr dynol er gwell yn tarddu o'r union draddodiadau crefyddol y maen nhw'n ymosod arnyn. Syniad Cristnogol arbennig o gyfeiliornus meddai yw bod bodau dynol yn hanfodol wahanol i anifeiliaid eraill. Yn hytrach na'u gweld felly, mae Gray yn portreadu dynoliaeth fel rhywogaeth reibus sydd wrthi'n prysur ddileu ffurfiau eraill ar fywyd.

Mae beirniadaeth Gray o'r naïfrwydd delfrydgar sydd i'w weld mewn agweddau o ddyneiddiaeth yn ddilys ac yn ddefnyddiol. Fodd bynnag gallai ei sgeptigaeth fod yn beryglus. O golli'r hyder bod modd gwella'r cyflwr dynol, onid oes perygl y bydd ymdrechion unigolion, mudiadau dyngarol a sefydliadau cydwladol i'r union ddiben yna yn diffygio? Rhaid cydnabod rhai o effeithiau enbyd goruchafiaeth Dyn ar dynged rhywogaethau eraill, fel y gwnaethpwyd uchod. Ond gallai portreadu dynoliaeth fel dim byd ond rhywogaeth reibus, o'i gario i'w ben draw rhesymegol, arwain at safbwyntiau didostur, onid barbaraidd. Nid peth niwtral, dieffaith mo syniadaeth athronyddol. Perygl pesimistiaeth yw porthi anobaith, neu waeth.

Cwbl briodol, a gwyddonol gywir, yw i ni gydnabod ein hetifeddiaeth gyffredin â theyrnas fawr yr anifeiliaid. Fodd bynnag ystyr y myth crefyddol i ni gael ein creu ar lun a delw Duw yw bod ein galluoedd unigryw yn rhoi i ni, nid yr hawl i wastrodi, ond y cyfrifoldeb i fugeilio, gwarchod a chyfoethogi y winllan a roddwyd i'n gofal. Atheist yw Gray yntau. Gan nad yw-e felly'n cydnabod posibilrwydd troi at Dduw am waredigaeth, pa ddewis amgen sydd yna ond ymddiried ein gobeithion i Ddyn?

Gwrthwynebiad A. C. Grayling, un o broffwydi'r ddyneiddiaeth ddigrefydd sy'n dod dan lach John Gray, fyddai bod y syniad o ddyneiddiaeth grefyddol yn wrtheb diystyr. Hanfod crefydd meddai Grayling yw cred yn Nuw, Bod (neu fodau) goruwchnaturiol sydd wedi creu ac yn llywodraethu (neu o leiaf yn dylanwadu ar) y byd. Heb dduw, heb grefydd. Fodd bynnag mae Bwdïaeth, yr oedd ei sylfaenydd yn gwrthod bodolaeth Duw'r creawdwr, yn awgrymu'n wahanol. Er mwyn cynnal ei gollfarn ar grefydd fel y cyfryw felly rhaid i Grayling ddadlau nad crefydd mo Bwdïaeth, ond athroniaeth.[36] Dyma enghraifft berffaith o deilwra'r dystiolaeth i siwtio'r safbwynt. Mae'r ffaith fod Bwdïaid yn ymarfer defodau, yn myfyrio a gweddïo ac yn cysegru'u bywydau i'r ymchwil am y canol llonydd, Nirfana, heb son am fynachaeth a'r defnydd o gerfluniau cysegredig, yn dangos pa mor fympwyol-ragfarnllyd yw rhesymeg Grayling. Crefydd yw Bwdïaeth.

Daw'r gwrthwynebiad cryfaf, yn naturiol ddigon, o gyfeiriad prif ffrwd y crefyddau Abrahamaidd. Er gwaethaf pob her a dadl fe ddaliodd theistiaeth ei thir yn fersiwn swyddogol Cristnogaeth. Hyd yn oed ymysg radicaliaid rywsut fe arhosodd Duw yn y canol. Tra'n cydnabod mai yn nhermau myth yr oedd dod o hyd i wir ystyr credo Gristnogol, daliodd y gweinidog Undodaidd Arthur Long bod credu yn Nuw 'yn yr ystyr syml, amlwg' yn hanfodol ac yn wir y gellid ei 'wirio yn wyddonol'.[37]

Dwyf-i ddim am flino'r darllenydd ymhellach â'm dadleuon i dros ddiosg y Duw gorwuchnaturiol yn llwyr. Ond rwyf am ystyried a oes yna ffyrdd newydd o gadw'r cysyniad yn fyw i'r dyfodol.

Droeon yn ei hastudiaethau cynhwysfawr mae Karen Armstrong yn cyfeirio at Dduw fel symbol.[38] Wrth gyfeirio at 'draethiadau gramadegol' Duw (bod Duw yn un â'i briodoleddau, megis cariad a chydymdeimlad) mae Dewi Z. Phillips yn dod yn agos at yr un peth. Wrth gyfiawnhau crefydd yn nhermau'r goddrychol (cynnyrch meddwl yr unigolyn) mae Marilynne Robinson yn troedio'r un tir. Math o symbolaeth hefyd yw son am Dduw fel llawr neu wreiddyn Bod, yn null J. R. Jones a Rowan Williams. Yr hyn sy'n fy anesmwytho i am yr ymdrechion clodwiw hyn fodd bynnag yw'r amharodrwydd i ollwng gafael yn gyfangwbl ar y syniad bod yna ryw fath o sylwedd dwyfol allan fanna yn rhywle. Rwy'n canfod rhyw duedd yn eu traethiadau i lithro megis o'r mythos i'r logos ac effaith hynny yw cymylu'r drafodaeth.

Yr hyn a agorai'r drws i drafodaeth eglur fyddai cydnabod, yn blwmp ac yn blaen, nad oes unrhyw reswm i gredu bod y fath beth yn bod â'r Goruwchnaturiol, mai ffrwyth y dychymyg creadigol yw crefydd ac mai creadigaeth Dyn yw Duw.

Nid amharchu'r syniad, fel y mae'r 'atheistiaid newydd' yn ei wneud, fyddai hynny. Duw yw un o greadigaethau gwychaf diwylliant dyn, arwydd o aruthredd ei gyrhaeddiad, nid o'i anaeddfedrwydd a'i gamddealltwriaeth. Bydd parchu, rhyfeddu at a myfyrio ar blygion anchwiliadwy y cysyniad gogoneddus yma ar gael i ni o hyd i gyfoethogi defod a defosiwn. Mi allwn ddal i ymateb i odidowgrwydd salmau'r Iddewon gynt. Mi allwn gael ein hysbrydoli eto gan emynyddiaeth wefreiddiol y traddodiad efengylaidd Cymraeg. Mi allwn yn wir anghofio'n hanghrediniaeth, ei ohirio'n wirfoddol, dros dro.[39] Ond rhan annatod o fod yn driw i ysbryd ein hoes ni, parhad o Oes y Goleuo, fydd ein hatgoffa ni'n hunain yn gyson mai dyna'n union yr ydyn-ni'n ei wneud.

Nid gwadu bodolaeth unrhywbeth y tu hwnt i ni, fel unigolion, fel rhywogaeth nac fel creaduriaid meidrol, fyddai hynny chwaith. Fel unigolion rydyn-ni i gyd yn rhan o deulu Dyn. Disgynyddion ydyn-ni i gyd, pob copa walltog ohonon-ni, o un hynafiad dynol a ddaeth i fodolaeth rhwng 100,000 a 200,000 o flynyddau nôl ac y dewisodd y gwyddonwyr ei galw'n Efa fitocondriaidd.[40] Yn yr un modd mae gwyddonwyr yn dyfalu i holl fywyd y ddaear, 'coeden bywyd', darddu, o leiaf dair biliwn a hanner o flynyddau nôl, o ddigwyddiad, daearol neu allddaearaol, a barodd i brosesau cemegol esgor ar esblygiad biolegol.[41] A natur y Bydysawd a alluogodd hyn oll i ddigwydd.

Y tu hwnt i'r Bydysawd mae'n amhosibl, ar hyn o bryd, i ni wybod dim.[42]

Cysondeb hynod y Bydysawd hwnnw a barodd i'r peirianegydd Buckminster Fuller geisio uniaethu'r Bydysawd â Duw. Meddai un o'i lu edmygwyr, 'Pe gallen-ni ddim ond dechrau sylwi ar sut y mae Bydysawd / Natur / Duw / Grym Uwch / Ysbryd Mawr / Allah yn ei ddylunio'i hun, a dilyn dim ond cyfran fach o'r dyluniad yna, fe allen i raddau mawr ein trawsffurfio'n hunain fe unigolion ac fel cymdeithas fyd-eang'.[43]

Mae'n weledigaeth gyffrous, led-gyfriniol ei natur, ond does dim modd uniaethu'r Bydysawd, y mae ei rymusterau'n gyfuniad didosturi, anwahaniaethol o ddinistr a chreu, â'r Duw y mae'r ffyddloniaid yn ei addoli o Saboth i Saboth. Yr hyn a wnaeth y crefyddau Abrahamaidd dros y canrifoedd oedd mireinio'r ddelwedd o Dduw, ei charthu o'r eiddigedd, y dialedd, y cosbi a'r ffafraeth hiliol sydd i'w gweld er enghraifft yn Llyfr y Barnwyr. Fe ddaeth yn ddistylliad o'n dyheadau gorau ni: cyfiawnder, gwirionedd, cydymdeimlad, trugaredd, hunanaberth, creadigrwydd a chariad. Y Duw puredig hwn yw un o gampweithiau ein gwareiddiad.

A oes i'r rhinweddau hyn fodolaeth y tu hwnt i'n hymwybod ni, blant dynion? Y cwbl y gallaf i ddweud yw bod dysgeidiaeth Platon bod Cyfiawnder a Daioni (i roi dim ond dwy enghraifft) yn bodoli y tu hwnt i bob amlygiad penodol ohonyn-nhw yn tynnu ar ryw linynnau cryf yn ein hymwybyddiaeth. Mae'n adlewyrchu dyhead dwfn am safonau sy'n uwch, yn fwy cadarn ac arhosol, na'r rhai sy'n ddarostyngedig i hapddigwyddiadau'r byd.

Ond mae yna ragor i'w ddweud. O egni'r Bydysawd y tarddodd pob peth, ac mae hynny gystal â dweud bod popeth a gaed ac a wnaed felly ymhlyg yn y Bydysawd o'r cychwyn cyntaf, y grymusterau creadigol-ddinistriol a'r erchyllbethau wrth gwrs ond y bendigaid bethau yn ogystal. Nid malu awyr sentimental felly mo argyhoeddiad Edmund (gw 'Y Tystion' ym Mhennod 1) bod cariad yn bod yng ngwneuthuriad atomig y Bydysawd.

Mi allwn ymateb i'r hyn a wyddon-ni am y Bydysawd, am natur ac am ddyn mewn mwy nag un ffordd.

Gallwn-ni eu hystyried â llygad oer rheswm diduedd, dadansoddi'r dystiolaeth, gwneud y cyfrif mathemategol a dod i gasgliadau. Dyna, yng ngeiriau J. R. Jones, yr 'osgo oer, wrthrychol, amhersonol, ystadegol sy'n nodweddu gwyddoniaeth',[44] os nad gwyddonwyr. Dyna ffordd logos, ac mae'n bwysig ei throedio.

Neu mi allwn syllu ar y cyfan mewn rhyfeddod, agor ein meddyliau a'n heneidiau i'r parchedig ofn y mae ei brofi yn rhan o'n hymateb naturiol i'r hyn sy'n fwy na ni. Mi allwn blygu mewn diolchgarwch yn wyneb dirgelwch eithaf y ffaith ein bod-ni'n bod. Dyna ddull mythos, a dyna graidd crefydd.

Mae rhyfeddu at fawredd a phatrwm y Cread yng ngwraidd y grefydd Iddewig. Dyma'r thema sy'n agor yr Ysgrythurau yn mhennod gyntaf fawreddog Genesis ac sydd i'w chlywed dro ar ôl tro ym marddoniaeth wych y Salmau. Heddiw mae datgeliadau gwyddoniaeth yn cynnig ffynhonnell ddihysbydd o ddeunydd ar gyfer meithrin parchedig ofn, fel yn wir y dangosodd sawl cyfres deledu. Tybed na ddylai gwerthfawrogiad o wyddoniaeth fod yn ganolog mewn hyfforddiant at y weinidogaeth Gristnogol? Tybed na ddylai fod yn destun arferol mewn pregethau?

Meithrin parchedig ofn, astudrwydd, codi'r addolwr i lefel ddwysach o deimlad ac ymwybod, yw pwrpas y defodau sy'n cael eu harfer mewn addoliad cyhoeddus: distewi, penlinio, plygu pen, cau'r llygaid, ymgroesi, rhannu'r bara a'r gwin. Yn y traddodiad efengylaidd byddai, a bydd, y bregeth yn anelu at ennyn emosiwn dwys ac ymdeimlad uwch o gyflwr enaid y gwrandäwr. Mae gan gerddoriaeth, rhan mor ddieithriad ganolog o ddefodaeth grefyddol, allu neilltuol i'n swyngyfareddu, ein galluogi, i raddau mwy neu lai, i brofi ecstasi. Ychydig a fyddai am wadu y gall pensaernïaeth mannau o addoliad, o'r symlaf a'r distadlaf i'r gwychaf a'r mwyaf addurnedig, ein tawelu, dyrchafu'n golygon ac ar yr un pryd, ennyn ynon-ni ostyngeiddrwydd mawr.

Gostyngeiddrwydd: dichon mai dyma'r cyswllt rhwng crefydd a moesoldeb.

Mae hynny'n gwbl wahanol i honni mai crefydd yw tarddiad moesoldeb. Gwrthod y syniad hwnnw yw man cychwyn A. C. Grayling wrth arddel dyneiddiaeth fel dewis amgen i grefydd. 'Mae yna ddadl,' meddai 'ynghylch ffynhonnell a chynnwys ein moesoldebau: ai o ffynhonnell drosgynnol megis gorchymyn dwyfol y maen-nhw'n dod, neu o'n myfyrdodau ni ar realitïau a chydberthynas dynol?'[45]

Byddai'n dda geni feddwl y gallai dyneiddiaeth grefyddol o'r math yr wyf wedi ceisio'i hamlinellu uchod oresgyn y gwrthdrawiad y mae Grayling yn son amdano. Rwyf innau hefyd yn gwrthod y syniad o ffynhonnell allanol oruwchnaturiol i'n gwerthoedd a'n moesoldeb. Ar y llaw arall rwyf i'n gweld cysyniad y dwyfol nid yn unig fel rhan o ymdrech dyn i ddod o hyd i gysur ac ystyr ond hefyd fel ffordd iddo ymgyrraedd at ymwybod â safonau uwch, i drosgynnu cyfyngiadau ei natur e ei hun.

Nid dim ond mater o bwyso-a-mesur rhesymegol yw moesoldeb. Heb emosiwn, heb gydymdeimlad, heb gariad, mae'n weddw. Heb ddysgu gostyngeiddrwydd, does dim modd codi uwch law gormes yr hunan. Ac nid ar chwarae bach y daw rhinweddau felly yn rhan ohonon-ni. Rhaid eu meithrin, drwy ddefod ac ymarfer. Rhaid rhoi amser i ddwysystyried pa fath o ymddygiadau, pa fath o gydberthynas rhwng dyn a dyn, rhwng hil a hil, rhwng gwlad a gwlad, a ddylai ddeillio ohonyn. Ac wrth gwrs wedi 'plannu'r egwyddorion', ys dywed Pantycelyn,[46] rhaid eu gweithredu. Dyma lle mae cyfraniad crefydd oleuedig i'r gwaith o iacháu'r byd a chreu cymdeithas wâr.

Fe all y daw crefydd ddyneiddiol o hyd i dir cyffredin pwysig gydag atheistiaid dyneiddiol megis Grayling, ond bydd angen mesur o'r rhinwedd waelodol honno, gostyngeiddrwydd, o'r ddau du. Gall crefyddwyr elwa o'r drafodaeth yn ail ran cyfrol Grayling, a'i ddisgrifiad (gan ddilyn Plutarch) o'r dyneiddiwr fel un sy bob amser yn 'ceisio gwybodaeth, yn feddylgar, effro, ymatebgar, yn eiddgar am ddealltwriaeth a thros gyflawni'r da...'.[47] Byddai'n lles i Grayling yntau roi'r gorau i uniaethu crefydd â ffanatigiaeth, adwaith ac anwybodaeth a derbyn mai ei gwir swydd yw (a defnyddio'i eiriau fe'i hun) 'bod yn ffocws i'r dyheadau ysbrydol hynny, yr hiraeth am yr absoliwt, a'r nodyn dwfn parhaus o emosiwn, sy'n tarddu o gêl waelodion yr hyn ydyn-ni'.[48]

Rhaid ychwanegu fan hyn bod problem yn yr ymadrodd 'yr hiraeth am yr absoliwt'. Yr hyn sy gan Grayling mae'n debyg yw pwysigrwydd cydnabod gwerthoedd sy'n tynnu ar egwyddorion cyffredinol, nid dim ond mympwy unigol neu ragfarn ddiwylliannol. Rhaid cydnabod fodd bynnag mai un o beryglon mawr Crefydd (gyda llythyren fawr) yw'r duedd i honni mai ganddi hi y mae'r holl wir, y datguddiad terfynol o wirionedd absoliwt. Mae'n bwysig odiaeth i ni i gyd dyfu allan o unrhyw hawliadau felly.

Waeth i grefyddwyr gyfaddef ddim hefyd nad gan grefydd y mae'r ateb llawn i ddoluriau'r byd.

Mae dynoliaeth yn wynebu sialensau cymhleth a lluosog wrth i'r 21fed ganrif o Oed Crist gerdded yn ei blaen: dileu newyn a thlodi, gwarchod iawnderau dyn, creu cytgord rhwng gwahanol ddiwylliannau, ymdopi â thrawsnewidiadau technolegol na welwyd eu tebyg, dysgu delio â gwrthdaro drwy ddiplomyddiaeth, nid rhyfel. Mae cyflawni hyn oll tra'n gwarchod y cyfoeth ecolegol sy'n cynnal ein bywydau ac sydd dan fygythiad digynsail gan dwf ein rhywogaeth ni a'n ffordd bresennol o fyw yn cymhlethu'r dasg ymhellach. Yr olaf hyn yw'r broblem sy'n gor-doi pob un o'r lleill.

Mae i wyddoniaeth a thechnoleg, gwleidyddiaeth, economeg, cymdeithaseg, seicoleg ac ati oll eu cyfraniad angenrheidiol. Mae angen logos lawn cymaint â mythos. Lawn cymaint, ond nid mwy. Rhaid i Foeseg newydd fyd-eang yrru'r cyfan. A gall amgyffrediad crefyddol o fywyd wneud cyfraniad grymus at ysbrydoli'r Foeseg honno.

Bydd rhaid tynnu ar wahanol draddodiadau crefyddol wrth ddechrau o'r newydd. Rwy'n gwbl hyderus y bydd i'r mythos mawr Cristnogol, o'i ddehongli a'i gyflwyno o'r newydd, ran allweddol yn y gwaith hwnnw.

Nodiadau

1   Positifiaeth yw'r athroniaeth o wyddoniaeth sy'n mynnu mai'r unig fath dilys o wybodaeth yw'r hyn y gellir ei gasglu o fathemateg, rhesymeg ac o sylwi ar brofiad y synhwyrau. Gw 'Positivism', Wikipedia.

2   *Religion for Atheists* tt 13-4

3   ibid tt 311-2

4   Paul Badham, *The Contemporary Challenge of Modernist Theology*, Gwasg Prifysgol Cymru, 1998, t 4

5   'Modern science and the arguments for God's existence' yn op cit t 74

6   *Caneuon Ffydd*, Emyn 56

7   'Germ Theory' Wikipedia

8   Mae trafodaeth fanwl i'w chael yn Philip Ball *The Chemistry of Life*, Gwasg Prifysgol Rhydychen a'r *Independent*, diddyddiad

9   'Large Hadron Collider', Wikipedia

10 'MESSENGER', Wikipedia

11 *Ac Onide* tt 105-7

12 ibid t 96

13 *The God Delusion*, tt 77-85

14 gw Rhagymadrodd *The Case for God*.

15 'Diwygiad Methodistaidd,' Wicipedia

16 *Caneuon Ffydd* Emynau 755, 698.

17 *The Case for God* t 4

18 ibid tt 31-2, 29

19 ibid t 8

20 ibid t 18

21 '*Knack*' yw gair Karen Armstrong i ddisgrifiad y Daoistiaid o hanfod crefydd, gw ibid t 5

[22] gw y drafodaeth yn y Rhagymadrodd, ibid tt 3-10

[23] ibid t 7

[24] ibid t 2

[25] ibid tt 90-1

[26] gw www.youtube.com/user/doncupitt. Hefyd am drafodaeth gan grŵp trafod yn cynnwys Cupitt gw iai.tv/video/blinded-by-the-light

[27] George Monbiot, 'Destroyer of Worlds,' *The Guardian*, 25.03.14; BBC Radio 4 'Start the Week', 01.12.14

[28] Deri Tomos. *Barn*, Tachwedd 2014

[29] *The Case for God*, t 14

[30] op cit tt 33-6

[31] Mae diagram i ddarlunio'r pwynt yn *The Search for God*, t 42

[32] Salm 8

[33] Cyfieithiad Gareth Miles a Michael Bogdanov o *Hamlet* Shakespeare, Gwasg APCC Caerdydd 2004, t 32

[34] John Gray (philosopher)' Wikipedia

[35] Nick Spencer, op cit tt 255-6

[36] *The God Argument* t 16

[37] Arthur C. Long, *Fifty Years of Theology, 1928-1978,The Vindication of Liberalism*, Essex Hall, 1978

[38] ee *The Case for God* 7 307

[39] Term a fathwyd gan yr athronydd esthetegol Samuel Johnson i ddisgrifio effaith drama ar ein synhwyrau yw '*willing suspension of disbelief*'. Gw 'Suspension of disbelief', Wikipedia

[40] 'Mitochondrial Eve', Wikipedia

[41] 'Abiogenesis', Wikipedia

[42] Mae trafodaeth ynghylch posibilrwydd bydysawdau eraill i'w chael yn 'Creating a Universe-Creation Theory' web.uvic.ca/~jtwong/newtheories.htm; hefyd drafodaeth banel yn cynnwys Don Cupitt ar iai.tv/video/before-the-beginning-after-the-end

[43] L. Steven Sieden, *A Fuller Vision, Buckminster Fuller's Vision of Hope and Abundance for All*, Divine Arts, 2011

[44] Op cit t 95

[45] Op cit tt 131-2

[46] *Caneuon Ffydd*, Emyn 697: 'Planna'r egwyddorion hynny/ yn fy enaid bob yr un/Ag sydd megis peraroglau/ yn dy natur Di dy hun'

[47] op cit Rhan II, 'For Humanism' t 140

[48] op cit, t 8